Christian Sieg

Das Telefon – Ihr Draht zum Kunden

Christian Sieg

Das Telefon
~ Ihr Draht zum
Kunden

Dieses Werk will Sie beraten, die Angaben sind nach bestem Wissen zusammengestellt, jedoch kann eine Verbindlichkeit aus ihnen nicht hergeleitet werden.

Die Deutsche Bibliothek – CIP-Einheitsaufnahme

Sieg, Christian:
Das Telefon – Ihr Draht zum Kunden / Christian Sieg. –
Ottobrunn : Autohaus, 1995

ISBN 3-89059-057-8

Karikaturen: Pinot Gallep

Umschlaggestaltung: Zembsch' Werkstatt, München

ISBN 3-89059-057-8

Zum Einstieg

Bevor Sie dieses Buch lesen, nehmen Sie sich doch bitte eine Minute Zeit, um Ihre Einstellung zum Telefon zu überdenken! – Wie wichtig ist das Telefon für Sie? Welchen Stellenwert hat es in Ihrer Berufstätigkeit? Ist es für Sie Störfaktor oder Hilfsmittel? Telefonieren Sie gerne oder gehen Sie mit einer gewissen Abneigung an den Apparat?

Jeder von uns hat eine bestimmte „Beziehung" zum Telefon. Die einen lieben es geradezu und sind nicht von ihm wegzubekommen. Die anderen sehen in ihm das „Teufelsinstrument" des täglichen Telefonstresses. Manche wiederum telefonieren einfach, ohne sich jemals Gedanken darüber zu machen. Aber alle kennen den kleinen „Telefonteufel".

Ganz sicher kennen Sie ihn auch! Er war neulich dabei, als Sie das Kundengespräch in der Leitung vergaßen und der Kunde auf diese Weise langsam im Kabel „verhungerte". Er war auch dabei, als Sie trotz angestrengtestem Hinhören und mehrmaligem Nachfragen den Namen der Anruferin nicht verstanden. Sie trafen ihn ganz sicher schon in Form eines Anrufbeantworters, der ihnen mit monotoner Stimme irgendetwas von „leider nicht zu Hause" erzählte. Er steckt in jedem Gespräch! Unzählige Situationen sind es, in denen uns dieser kleine Übeltäter begegnet. Der kleine Telefonteufel ist überall, flink wie ein Wiesel ist er für Sekunden da und verschwindet dann wieder, natürlich nicht ohne die entsprechenden Spuren zu hinterlassen. Der kleine Telefonteufel liebt es Kunden zu verärgern, Mitarbeiter unter Streß zu setzen und den Chef zur Verzweiflung zu treiben. Er arbeitet im Untergrund, gräbt kleine Fallen, in die wir ahnungslos hineintappen und er verdirbt uns damit den Spaß am Telefonieren. Das muß nicht sein! Wir sind diesem Übeltäter nicht hilflos ausgeliefert. Wir können ihn fangen, ihn frühzeitig an seinen Missetaten hindern.

Das Buch soll Ihnen dabei helfen. Es zeigt Ihnen den Weg in Ihren täglichen Telefonaten. Ob in der Zentrale eines Autohauses oder im Teilelager, im Kundendienst oder Verkauf. Egal, für jeden Mitarbeiter oder Inhaber eines Autohauses hält dieses Buch „Tips und Tricks" bereit. Das hilft Ihnen streßfreier, zufriedener und erfolgreicher in Ihrer täglichen telefonischen Kundenkontaktarbeit zu sein. Ihre Kunden werden es Ihnen danken und der kleine „Telefonteufel" wird Sie bald nicht mehr mögen. Sie aber gewinnen das Telefon zum Freund.

Natürlich kann das Buch Ihre eigenen Telefonerfahrungen nicht ersetzen. Nicht jedes auf den folgenden Seiten genannte Beispiel und jede vorgeschlagene Formulierung erhebt den Anspruch auf Allgemeingültigkeit. Sie selbst bestimmen, was Sie für Ihren Arbeitsbereich übernehmen, ändern oder gar ablehnen. Wenn Sie dies für sich akzeptieren, wird das Buch halten, was Sie sich von ihm versprechen.

Bonn, im Februar 1995   Christian Sieg

Inhaltsverzeichnis

1 Das Telefon, der andere Weg des Kundenkontaktes im Autohaus

1.1 „Hallo, Mister Bell!" – Das Telefon gestern und heute

Das Telefon kann gemeinsam mit dem Automobil auf eine mehr als hundert-jährige Geschichte zurückblicken. Und wie beim Automobilbau, so sind auch mit der Telefongeschichte zwei Namen unzertrennlich verbunden: Phillip Reis und Graham Bell. Der eine, Phillip Reis, experimentierte Jahre an der „Über-mittlung der Sprache per Draht" und stellte 1861 in Frankfurt am Main seine Er-findung der Öffentlichkeit vor. Das Ergebnis: ein müdes Lächeln des Publikums und die Bewertung, daß dieser Apparat keine Zukunft habe. Phillip Reis erntete nie die Früchte seiner Erfindung. Der andere, Alexander Graham Bell, arbeitete auch an dieser Erfindung, entwickelte sie weiter und meldete 1876 in den USA das Patent für den „Elektromagnetischen Fernhörer" an. Das Ergebnis: Milliar-den von Telefonanschlüssen heute auf der ganzen Welt. Wie die beiden Automo-bilbauer Daimler und Benz begegneten sich Bell und Reis nie in ihrem Leben.

Sicher ahnten weder Bell noch Reis zu ihren Lebzeiten, welche Verbreitung der von ihnen erfundene „Apparat zur Übertragung der Sprache in die Ferne" ein-mal finden würde. Heute jedoch ist das Telefon kaum mehr aus unserem Leben wegzudenken: Es ersetzt die lange Fahrt zur Tante Klara, weckt uns, nennt uns die korrekte Zeit und berichtet auf Wunsch über die neuesten Börsenkurse oder Lottozahlen. Ja, es sind andere telefonische Zeiten angebrochen und das ISDN-Zeitalter mit dem Westentaschentelefon für jedermann steht vor der Tür.

1.1.1 „Nervtöter oder Glücksbringer?" – Der Einsatz des Telefons im Autohaus

Was würden wir ohne den „Fernsprecher" in unseren Autohäusern tun? Die Schreibmaschinen würden heißlaufen, der Postbote zusammenbrechen, die Tele-fonistin wäre arbeitslos, der Verkäufer abwesend, der Kundendienstberater ver-zweifelt und die Kunden wären sauer. Eine schreckliche Vision! Auch wenn das häufige Klingeln des Telefons uns schon zu manchen Verwünschungen dessel-ben trieb, das Telefon ist und bleibt ein unersetzliches Mittel der Kommunika-tion im Autohaus, dessen Vorteile nicht vom nervenden Charakter eines häufi-gen Telefonklingelns überdeckt werden sollten.

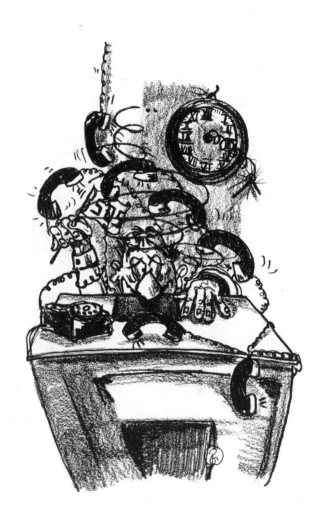

1.1.1.1 Das Telefon als „Sparbuch" und „Entspannungsmittel"

Auch wenn wir uns oft über die hohen Telefonkosten beschweren, ohne Telefon würde es noch weitaus kostenintensiver im Autohaus zugehen. Ein individuell erstellter Geschäftsbrief verursacht rund 50,– DM an Kosten im Betrieb. Die gesamten betrieblichen Kosten eines Telefonats liegen dagegen selten über 10,– DM. Vergleicht man den „Preis" eines Kundenbesuches mit dem eines Kundentelefonats, so ergeben sich ähnliche Relationen. Natürlich soll das Telefon nicht den Kundenbesuch beseitigen, aber dennoch erscheint ein Kostenvergleich zwischen diesen beiden Kontaktwegen in vielen Situationen als durchaus sinnvoll. Und bedenken wir unseren persönlichen Arbeitsaufwand, der durch das Telefon erheblich verringert wird. Um wievieles leichter ist es, zum Hörer zu greifen und den Kunden anzurufen, als ihm zu schreiben oder ihn zu besuchen. Es werden Arbeitsgänge gespart, das Nachdenken und Nachschlagen über Formulierungen und grammatikalische Fragen entfällt. Das darf natürlich nicht zum unbedachten Griff zum Hörer verleiten!

1.1.1.2 Das Telefon als „Zeitspardose"

Wer hat sich nicht schon über die Beförderungsdauer eines Briefes geärgert oder wurde nervös am Steuer, weil er im Stau stand und dadurch seinen vereinbarten Kundentermin verpaßte? Telefonstaus sind selten und Beförderungsgeschwindigkeiten am Telefon nicht spürbar. Ob die schnelle Anfrage beim Importeur oder Hersteller über die Verfügbarkeit des Ersatzteiles oder die telefonische Frage beim Kunden nach der Zufriedenheit mit seinem neuen Fahrzeug, das Telefon schafft schnelle und zeitsparende Kontakte und ist „Zeitspardose" Nummer eins im Autohaus. Leider kann das Instrument auch zum „Zeitfresser" werden, wenn ständig Telefonate andere Arbeitsgänge unterbrechen oder langwierige Gespräche an der raren Zeit knabbern. Doch ohne das Telefon hätten wir wahrscheinlich noch viel mehr Zeitprobleme.

1.1.1.3 Das Telefon als „Dialogmaschine"

Wer von uns hätte nicht schon gern nach dem Erhalt eines Briefes den Schreiber gefragt, wie diese oder jene Formulierung zu verstehen sei? Briefe sind im Vergleich zum Telefon Einbahnstraßen, die – gäbe es nicht das Telefon – häufig eine schriftliche Rückfrage notwendig machten. Das Telefon schafft Dialoge, erlaubt Zwischen- und Rückfragen und birgt damit weit weniger Mißverständnispotential als jede schriftliche Kommunikation. Und was in der Praxis viel zu häufig vergessen wird: die hervorragende Vorbereitungsmöglichkeit von Telefonaten. Niemand schaut uns auf den Schreibtisch und sieht unseren „Spickzettel", auf dem wir unsere Argumente und Fragen notiert haben. Ein Verkaufsberater mit einem Gesprächsleitfaden zum persönlichen Verkaufsgespräch in der Hand würde vielleicht Lacher erzeugen, ein per Telefon akquirierender Mitarbeiter mit dem Gesprächsleitfaden auf der Schreibtischplatte dagegen arbeitet professionell.

1.1.1.4 Das Telefon als „Kundenkontakter" und „Visitenkarte"

Schnelle, bequeme, zeit- und kostensparende Telefonkontakte können im modernen Autohaus Kundennähe produzieren. Wer für seine Kunden erreichbar ist und selbst für Kontaktanlässe sorgt und diese auch nutzt, der hat die „Nase vorn" auf dem Markt. Wer professionelle Telefonate im Betrieb führt und damit das Telefon als Marketinginstrument mit seiner „Visitenkartenfunktion" gekonnt einsetzt, der nutzt ein altes und gleichzeitig nach wie vor modernes Kommunikationsinstrument in seinem Arbeitsbereich. Wer sich jedoch durch Kundenanrufe belästigt fühlt und jeden Griff zum Hörer mit einem Stöhnen begleitet, der wird sich bald nicht mehr durch Kunden gestört fühlen müssen.

Natürlich kann und darf das Telefon den Brief oder das persönliche Gespräch nicht in jedem Fall ersetzen. Eine telefonische Zahlungserinnerung beispielsweise ist in manchen Fällen zwar sinnvoll, sie ist und bleibt jedoch rechtsunwirksam. Und wer kann schon am Telefon das neue Fahrzeugmodell aus der Produktpalette verkaufen, ohne es dem Kunden vorgeführt und eine Probefahrt mit ihm gemacht zu haben? Telefonieren ist die eine Seite, Brief und persönliches Gespräch eine andere. Der erfolgreiche Autohausmitarbeiter nutzt jedes dieser Instrumente zu seiner Zeit und läßt sich nicht durch die Vorzüge des Fernsprechers zu einem gedankenlosen Einsatz hinreißen.

Im Autohaus von heute bieten sich eine Fülle von Kontaktanlässen, in denen das Telefon zu einem sinnvollen Arbeitsmittel werden kann. Es hängt aber viel vom – durchaus lernbaren – „telekommunikativen" Geschick des Einzelnen ab, ob diese Kontakte dann auch zu einem Erfolg werden.

1.2 „Vorsicht Falle!" – Wie man mit der besonderen Telefonsituation besser fertig wird

Telefonieren ist zu einer Alltäglichkeit geworden. Der Griff zum Hörer erfolgt automatisch und Ängstlichkeit vor dem Apparat ist nur noch bei Azubis in den ersten Arbeitstagen zu beobachten. Kinder wachsen heute mit dem Telefon auf und die Tastenfelder oder Wählscheiben werden von jedem mit einer schlafwandlerischen Sicherheit bedient. Doch die Selbstverständlichkeit des Telefonierens läßt uns die Besonderheit dieses Kommunikationsinstrumentes häufig vergessen und erzeugt eigene und neuartige Kommunikationsschwierigkeiten.

A: *„Peter Meier."*

B: *„Müller, guten Tag. Ist Dein Vater wohl zu sprechen?"*

A: *„Hören Sie, ich bin 45 und mein Vater verstarb bereits vor einigen Jahren."*

B: *„Oh, entschuldigen Sie bitte vielmals, ich dachte ... äh ... weil Ihre Stimme so jung klang und Sie Ihren Vornamen nannten ... äh ... also ich dachte, Sie seien Ihr Sohn ... nein ... Entschuldigung!"*

A: *„Wen wollten Sie denn nun sprechen? Mich oder meinen Sohn?"*

B: *„Ich wollte mit Herrn Meier sprechen."*

A: *„Dann schießen Sie mal los, der bin ich."*

Ja, auch das kann passieren und wer von uns hat nicht schon ähnliche Mißverständnisse am Telefon erlebt? *„Vorsicht Falle!"* müßte es öfter heißen, wenn wir den Hörer in die Hand nehmen.

1.2.1 „Hallo! Sehen Sie mich?" – Telefonieren ist Einkanalkommunikation

Das unterscheidet das Telefonat von einem persönlichen Gespräch: Die Wahrnehmung ist eingeschränkt und wir können Informationen nur noch über das Ohr aufnehmen. Stimme und Worte des Telefonpartners bleiben einzige Informationsmöglichkeit. Das Auge ist informationslos (zumindest was den Telefonpartner betrifft), der Geruchssinn unbelastet und nun beginnt der kleine „Telefonteufel" seine Arbeit und stellt seine Telefonfallen:

Falle Nr. 1: Wenig Informationsmöglichkeit über den Gesprächspartner.

Falle Nr. 2: Eingeschränkte Ausdrucksmittel.

Falle Nr. 3: Reduzierte Kontaktmöglichkeit.

Falle Nr. 4: Fehlende visuelle Rückmeldung.

1.2.1.1 Wenig Informationsmöglichkeit über den Gesprächspartner

Im Eingangsbeispiel ist diese Telefonfalle zugeschnappt. Die eingeschränkte Informationsmöglichkeit erhöht die Mißverständnisquote und das Verwechslungspotential im Telefonat. Wir wissen weder, in welcher Situation sich der Angerufene oder Anrufer befindet, noch können wir uns ein Bild von seinem Aussehen oder Auftreten machen. Auch seine Körpersprache bleibt uns verborgen, und das heißt Verzicht auf eine wichtige Informationsquelle. Automatisch bilden wir uns auch am Telefon einen Eindruck vom anderen und konstruieren uns unser eigenes Bild von seinem Aussehen. Bei späteren persönlichen Begegnungen führt dies manchmal zu herben Enttäuschungen, sicher aber zu notwendigen Korrekturen unserer bildlichen Vorstellung.

1.2.1.2 Eingeschränkte Ausdrucksmittel

Uns fehlt die erklärende Geste zur Verdeutlichung. Das richtige Ersatzteil kann nicht gezeigt und der Prospekt nicht überreicht werden. Da verzweifeln Verkäufer, die so gern den Fahrkomfort des neuen Fahrzeugtyps in Worte gefaßt hätten, und da denken Kundendienstberater an Kündigung, weil es ihnen nicht gelang, dem Kunden die Beschädigung der Auspuffanlage glaubwürdig und anschaulich zu erklären. Wohl dem, der diese Tücke der eingeschränkten Erklärung im Telefonkontakt noch nicht am eigenen Leibe erlebt hat! Die eingeschränkten Ausdrucksmittel haben eine weitere Folge: Die Aufmerksamkeit des Zuhörers richtet sich beim Telefonieren automatisch allein auf die Sprache. Sprachliche „Schnitzer" (Versprecher, Füllaute usw.) werden wesentlich deutlicher als in anderen Gesprächsformen, da von ihnen nicht durch optische Reize abgelenkt wird.

1.2.1.3 Reduzierte Kontaktmöglichkeit

Wo ist das freundliche Begrüßungslächeln, der interessierte Blickkontakt und wo sind die sonstigen Begleitsignale eines persönlichen Gespräches? Telefonate können schnell zu unpersönlichen Unterredungen zweier Stimmen werden, wenn die reduzierte Kontaktmöglichkeit nicht sprachlich ausgeglichen und dadurch eine positive Gesprächsatmosphäre geschaffen wird. Das „Sympathiefeld" zum unbekannten Gesprächspartner ist wesentlich schwerer aufzubauen und Mauern der Antipathie sind beschwerlicher einzureißen.

1.2.1.4 Fehlende visuelle Rückmeldung

Wie stellen Sie im Telefonat fest, daß Ihr Gesprächspartner noch Ihren Worten lauscht und nicht bereits vor Langeweile den Hörer neben sich gelegt hat? Wie bemerken Sie, ob und wie Ihr Vorschlag beim Kunden ankommt, ob er auf Ablehnung, Skepsis oder Interesse trifft? Woran erkennen Sie Verständnis und Verstehen? Die so wichtigen Signale der Rückmeldung bleiben uns verborgen und führen zu Unklarheiten, Unsicherheiten oder Mißverständnissen.

Wir müssen in einem Telefonat allein aus den Worten und der Stimme des Gesprächspartners seine Informationen entschlüsseln, seine Situation erkennen und obendrein noch seine Gefühlslage möglichst genau einschätzen.

Stellen Sie sich einmal vor, ein Kunde käme zu Ihnen in den Betrieb mit verschmutztem Anzug, einer dicken Beule am Kopf und mit seinem demolierten Pkw am Haken eines Schleppfahrzeuges. Sähen Sie dies, so wären sicher keine Worte notwendig und Sie wüßten, wie Sie zu reagieren hätten. Diesen Kunden würden Sie garantiert mit „Samthandschuhen" anfassen.

Was aber tun, wenn derselbe Kunde sich „nur" telefonisch bei Ihnen meldet? Wie viele Worte des Kunden und wieviel Vorstellungskraft Ihrerseits wären notwendig, um seine Situation richtig zu erfassen und Ihr Verhalten auf ihn und seine Probleme einzustellen?

Telefonieren ist zwar ein alltägliches Kommunikationsverhalten, dennoch ist es nicht mit der Alltäglichkeit eines „Vier-Augen-Gespräches" zu vergleichen. Natürlich, wer sprechen und hören kann, der kann auch telefonieren. Doch wer das auf die gleiche Art und Weise tut, wie er es aus Gesprächen von Angesicht zu Angesicht gewohnt ist, der wird an vielen Stellen seiner Telefonate den kleinen „Telefonteufel" zu spüren bekommen.

> Telefonieren ist und bleibt eine Form der „Behinderung". Wir müssen mit dieser Beeinträchtigung leben und unsere Sinne und Verhaltensweisen auf diese besondere Situation einstellen.

1.2.2 „So schwer ist das doch gar nicht!" – Erfolgsregeln für Telefonprofis im Autohaus

Das Prinzip einer erfolgreichen Gesprächsführung am Telefon besteht zunächst darin, die Verluste der fehlenden visuellen Kommunikation sprachlich auszugleichen. Das gilt sowohl für den Zuhörer als auch für den Sprecher in einem Telefonat. Als Hörer müssen wir unsere Aufmerksamkeit auf die „leisen Töne" des Gesprächspartners ausrichten, um mehr über ihn, seine Situation, seine Stimmungslage und seine Wünsche zu erfahren. Als Sprecher gilt es, den Hörer bei seiner Wahrnehmung zu unterstützen und „Geburtshilfe" beim Verstehen und Verständnis zu erzeugen.

1.2.2.1 Telefonprofis achten auf ihre Sprechweise und Stimmwirkung

Unser Gesprächspartner bildet sich aufgrund unserer Sprechweise und Stimmwirkung einen bestimmten Eindruck von uns. Der gutsitzende Anzug des Verkäufers und die hübsche neue Frisur der Buchhalterin werden am Telefon bedeutungslos. Was jetzt zählt, ist der sprachliche Ausdruck und die stimmliche Begleitmusik. Lautstärke, Sprechtempo, Aussprache und Betonung werden zu wichtigen Wirkmitteln des Senders, die die Verständlichkeit der Botschaft beeinflussen!

Das beginnt bei der Hörerhaltung! Eine mit der Hand verdeckte oder an den Kehlkopf gepreßte Sprechmuschel beeinträchtigt die Verständlichkeit Ihrer Worte. Der Tip: Achten Sie einmal bei sich und Ihren Kollegen auf die Eigenarten der Hörerhaltung! Sie werden schnell feststellen, daß das korrekte Halten des Telefonhörers recht selten zu sehen ist.

Manch einer meint, seinem Gesprächspartner einen besonderen Ohrenschmaus bereiten zu müssen: Kaugummis werden zu Quietschobjekten im Ohr des Hörers und Raucher verbreiten beim Ausblasen ihres Qualmes einen akustischen Sommerwind. Die Hustenanfälle eines Erkälteten werden zu wahren Erdbeben im Gehörgang des Angehusteten.

Mancherorts wird auf die Deutlichkeit verzichtet, weil die Zähne des Sprechers eine undurchdringliche Lautmauer bilden oder die Nachricht in einer Geschwindigkeit gesprochen wird, als ginge es um den Eintrag ins „Guiness' Buch der Rekorde". Da wird stimmlos ins Telefon gehaucht, als habe man Angst, den Anrufenden zu erschrecken, und die Sätze werden derartig betonungslos übermittelt, als handele es sich um einen Jackpot beim Poker.

Positive Stimmwirkungen und deutliche Sprechweisen lassen sich unschwer mit etwas Aufmerksamkeit und Übung erzeugen: Der Telefonhörer sollte in gebührendem Abstand direkt vor den Mund gehalten, die Worte deutlich artikuliert, die Umgebungsgeräusche weitgehend ausgeschlossen werden. Die aufrechte Sitzhaltung erzeugt durch natürliche Atmung eine positive Stimmwirkung und Nebentätigkeiten wie Kaugummikauen, Rauchen oder Essen müssen für die Zeit des Telefonats vermieden werden. Das Sprechtempo muß auf ein Normalmaß reduziert werden, was insbesondere für die so häufig schnell dahergesprochenen Meldungen gilt. Zeigen Sie auch durch Ihre Stimme Engagement, indem Sie die gesprochenen Worte gezielt betonen.

Übrigens: Wenn Sie am Telefon lächeln, so sieht Ihr Telefonpartner dies zwar nicht, aber er hört es an Ihrer angenehmen Stimme!

1.2.2.2 Telefonprofis klären und erklären die Situation und machen ihre Handlungen „sichtbar"

„Aus dem Auge, aus dem Sinn!", sagt eine alte Volksweisheit und beschreibt damit auch das Verflixte eines Telefonkontaktes. Da ruft der Kundendienstberater morgens um acht bei einem Kunden an und wundert sich über dessen Muffeligkeit, denn er weiß nicht, daß er den Nachtschichtler aus dem Schlaf gerissen hat. Da erzählt der Verkäufer der 85jährigen Großmutter des Hauses, daß die Auslieferung ihres Cabrios sich um einige Tage verzögert, ohne zu bemerken, daß es sich nicht um die junge Kundin handelt, die den Vertrag abgeschlossen hatte.

In Telefonaten steht zwischen den Beteiligten die Sichtmauer, die einen Einblick in die Situation des anderen verwehrt. Das führt manchmal zu Verwechslungen und Mißverständnissen, zuweilen sogar zum Unverständnis über die Reaktionen des Gesprächspartners. Welcher Anrufer ahnt, daß sich der Angerufene in einem Gespräch oder in einer Besprechung befindet, die ihn an einer offenen Aussage hindert, wenn der Angerufene ihm nicht die Situation erklärt? Wer kann am Telefon schon beobachten und zielsicher die Situation des Gesprächspartners erfassen? Woher soll der Kunde denn wissen, daß wir zunächst einmal aufstehen und die Rechnungskopie aus der Fahrzeugakte ziehen müssen, bevor wir uns über mögliche Fehlbeträge unterhalten können? Und wie soll der Kunde ahnen, daß wir an den Telefonapparat des Kollegen gegangen sind und nun trotz beträchtlicher Armlänge und akrobatischer Leistungen vergeblich versuchen, den Kugelschreiber vom eigenen Schreibtisch herüberzuangeln?

Doch es gibt auch hier Abhilfe: Als Angerufene sollten wir, wo immer dies notwendig und möglich ist, unsere Situationen beschreiben und unsere Handlungen „sichtbar" machen. Nur so kann der Gesprächspartner verstehen und Verständnis entwickeln.

"Herr Huber, ich bin hier gerade in einem Kundengespräch, darf ich Sie zurückrufen?"

"Herr Meier, ich rufe von meinem Autotelefon aus an, sollte es Verständigungsschwierigkeiten geben, so liegt das daran."

"Herr Müller, einen Augenblick bitte, ich hole mir schnell einmal den Terminkalender!"

Als Anrufer müssen wir uns in vielen Fällen von der Situation und/oder der Identität des Gesprächspartners überzeugen:

"Spreche ich mit Herrn Peter Meier?"

"Haben Sie einen Moment Zeit, um mit mir über ... zu sprechen?"

In anderen Fällen ist es sinnvoll, dem anderen die Möglichkeit der Vorbereitung zu geben, bzw. vorbereitend notwendige Unterlagen herbeizuholen:

"Wären Sie so nett und würden einmal die Unterlage XY zur Hand nehmen."

Der Tip für den heißen Draht: Situationsklärungen und -erklärungen erleichtern den Telefonkontakt und schaffen Klarheit.

1.2.2.3 Telefonprofis setzen verständliche Formulierungen ein

Der bekannte Schriftsteller Kurt Tucholsky hat in seinen „Ratschlägen für einen schlechten Redner" ein treffliches Beispiel für die Unart mancher Sprecher gegeben: *„Sprich mit langen, langen Sätzen ... Du mußt alles in Nebensätze legen. Sag' nie: ‚Die Steuern sind zu hoch.' Das ist zu einfach. Sag: ‚Ich möchte zu dem, was ich soeben noch gesagt habe, noch kurz bemerken, daß mir die Steuern bei weitem ...', So heißt das."* Hoffentlich gehören Sie nicht auch zu diesen „Rednern". Besonders verständlich sind Formulierungen dann, wenn sie kurz und prägnant gewählt werden. *„Ich werde Sie am ..., um ... wieder anrufen"* ist verständlicher, als der Satz: *„Ich denke, nach dem was wir heute besprochen haben, sollten wir nochmals gemeinsam – natürlich nur wenn das auch auf Ihr Interesse stößt – in den nächsten Tagen miteinander telefonieren."*

Besonders für den Telefonkontakt muß gelten: Kurze Sätze in geordneter Reihenfolge und prägnant formuliert hört unser Zuhörer gern! Vermeiden Sie Bandwurmsätze, dann vermeiden Sie geistige Verstopfungen bei Ihrem Telefonpartner. Außerdem: Bildhafte Formulierungen tragen zur Verständlichkeit bei.

1.2.2.4 Telefonprofis sorgen für Verständigungskontrolle

Das Telefon ist der Mißverständniserzeuger Nummer eins im Autohaus. Da werden Bezeichnungen verdreht, Termine mißverstanden oder getroffene Vereinbarungen vergessen. Schuld daran sind zumeist beide Telefonpartner, denn sie vergaßen, sich gegenseitig Verständigungskontrollen zu geben. Sie können diese Probleme durch Ihr eigenes Gesprächsverhalten minimieren!

Zunächst einmal empfiehlt es sich, als Zuhörer die wichtigen Punkte und Fakten eines Telefonates zu notieren. Die menschliche Merkfähigkeit ist bei Gehörtem wesentlich geringer als bei Dingen, die zusätzlich noch mit dem Auge wahrgenommen wurden. Notizen machen ein Telefonat auch nach längerer Zeit noch nachvollziehbar und sind z.B. im Kundendienst bei einer telefonischen Auftragserweiterung einziges Beweismittel.

Darüber hinaus können Sie durch Ihr Gesprächsverhalten für eine Verständigungskontrolle sorgen. Fassen Sie selbst wichtige Punkte und Vereinbarungen am Gesprächsschluß nochmals zusammen und wiederholen Sie sie:

> *„Herr Peters, wie vereinbart, ich hab' mir den Termin am 21. Mai für 10.00 Uhr notiert."*

> *„Ich darf nochmals die besprochenen Punkte zusammenfassen. Erstens ..."*

Sie geben dadurch Ihrem Gesprächspartner die Möglichkeit, eventuell entstandene Mißverständnisse frühzeitig zu korrigieren.

Als Telefonkönner fassen Sie auch während des Telefonats die Aussagen des Partners von Zeit zu Zeit mit eigenen Worten zusammen:

> *„Herr Klaus, wenn ich Sie richtig verstanden habe, dann ...?"*

Eine Selbstverständlichkeit sollte die Wiederholung von Daten und Zahlen sein. Ob Teile- oder Fahrgestellnummern, Autokennzeichen, Adressen oder Telefonnummern, all diese Bezeichnungen müssen direkt nach Nennung wiederholt werden. Insbesondere bei Zahlen ist es wichtig, die gleiche „geistige Ordnung" wie der Gesprächspartner bei der Wiederholung zu verwenden. Wenn Ihr Kunde Ihnen seine Telefonnummer mit den Worten „Fünfunddreißig – zwölf – achtundvierzig" mitteilt und Sie die gleiche Nummer in der Kombination „Dreihunderteinundfünfzig – zweihundertachtundvierzig" wiederholen, führt das zu unnötiger Gedankenarbeit oder gar zu Fehlern.

1.2.2.5 Telefonprofis machen ihren persönlichen Einsatz durch Worte sichtbar

Wegen des fehlenden Blickkontaktes bei einem Telefonat werden wir manchmal dazu verleitet, Versprechungen abzugeben, die schwer oder gar nicht einhaltbar

sind. Dieses psychologische Phänomen können Sie an vielen Stellen des täglichen Telefonlebens beobachten. Anscheinend glauben wir unbewußt, daß eine
Aussage ohne Blickkontakt weniger Verbindlichkeit besitzt. Unsere Kunden
kennen dieses Telefonphänomen auch und werten daher manche unserer Aussagen von vornherein als „Lippenbekenntnis". *„Ich kümmere mich um die Sache!"*
bekommen wir ja selbst oft als Antwort und warten dann Tage auf das Ergebnis.

Auch wenn Sie Ihr „Kümmern" durchaus ernst meinen, ist es besser, diese Stan-
dardformulierung zu vermeiden. Formulieren Sie konkreter und bildhafter und
dadurch glaubhafter:

> *„Ich werde gleich nach unserem Telefonat ins Lager gehen und nachsehen!"*

> *„Ich kläre die Angelegenheit und rufe Sie spätestens bis 16.00 Uhr zurück. "*

Eine Formulierung, die die konkreten Handlungsschritte beschreibt, stößt
beim Telefonpartner zumeist auf eine größere Akzeptanz.

1.2.2.6 Telefonprofis schaffen eine persönliche Atmosphäre

Das einfachste und zugleich wirkungsvollste Mittel hierzu ist die Namensansprache. Es reicht nicht, den Namen des Gesprächspartners nur bei der
Begrüßung und der Verabschiedung zu nennen. Auch während des Gesprächs
bieten sich viele Gelegenheiten hierzu, ohne daß es Ihr Kunde als unangenehm
oder lästig empfindet. Im Gegenteil! Machen Sie es sich zur Gewohnheit, sofort
während der Namensnennung des Anrufers diesen Namen auf Ihrem Notizblatt
zu vermerken. So wird es Ihnen ein Leichtes, den Namen während des folgenden Gespräches anzuwenden. Außerdem schützen Sie sich davor, nach einer längeren Unterhaltung zum Schluß noch fragen zu müssen: „Wie war doch gleich
Ihr Name?" Hierdurch wird jede mühsam erkämpfte Gesprächsatmosphäre
nachträglich verdorben.

1.2.2.7 Telefonprofis verwenden positive Formulierungen!

Sicher kennen Sie das Beispiel vom halb vollen und halb leeren Glas. Gemeint
ist dasselbe, doch die Formulierung „halb leer" stimmt eher pessimistisch. Der
Alltag ist hart genug, verschlimmern wir ihn nicht noch am Telefon durch negative Formulierungen! *„Mir geht es gar nicht so schlecht!"* sagt der Kollege am
Telefon und meint damit, daß es ihm recht gut geht. Das Gebrauchtfahrzeug ist
gut in Schuß und wir sagen, daß es *„gar nicht so übel"* sei. Der Betrieb ist *„ab
18.00 Uhr zu"*, dabei ist er doch *„bis 18.00 Uhr für die Kunden geöffnet."* Der

Chef sollte nicht *„erst ab 9.00 Uhr"* in den Betrieb kommen, sondern *„ab 9.00 Uhr für seine Kunden da sein"*. Und die Gebrauchtwagengarantie hat nicht *„nur für sechs Monate"* Gültigkeit, sondern für *„ein ganzes halbes Jahr"*. In der Versenkung sollten auch zweifelhafte Formulierungen wie *„der Verkaufsleiter ist eigentlich nicht zu sprechen"*, *„der Termin ist kaum einzuhalten"* und *„an und für sich geht das nicht"* verschwinden.

Rufen Sie durch Ihre Formulierungen keinen Widerspruch beim Telefonpartner hervor! Mit Formulierungen wie *„Hören Sie mal zu!"*, *„Passen Sie mal auf!"*, *„Sie müssen schon lauter sprechen!"*, *„Das geht auf keinen Fall!"*, *„Wie denken Sie sich das eigentlich?"* locken Sie über kurz oder lang auch den gemütlichsten Gesprächspartner aus der Reserve. Verwenden Sie lieber Sätze wie *„Bitte, sind Sie doch so nett und ..."*, *„Könnten Sie bitte ..."*, *„Wir haben uns da sicher mißverstanden."*

1.2.2.8 Telefonprofis bereiten ihre Telefonate vor

Wohl dem, der die Nachteile der fehlenden visuellen Kommunikation im Telefonat zu seinen Vorteilen macht. Telefonate können vorbereitet werden. Da kann und muß sich der Anrufer vorher überlegen, was er dem Angerufenen wie mitteilen möchte. Der spontane Griff zum Hörer ohne Vorüberlegungen zeichnet *nicht* den Telefonprofi aus. Ob Sie vorbereitet sind und Ihr Anliegen klar und zielstrebig formuliert haben, das können Sie täglich überprüfen, wenn Ihnen statt des gewünschten Gesprächspartners der „elektronische Mitarbeiter" des Angerufenen in Form des Anrufbeantworters begegnet. Manch einer legt spontan wieder auf, überlegt, welche Nachricht er hinterlassen könnte, und ruft nochmals an. Wer seine Telefonate vorbereitet, der wird auch durch solche Hürden nicht aus der Bahn geworfen und kann auch der Bandmaschine sein Anliegen klar mitteilen.

Überlegen Sie vorher, was Sie wie Ihrem Kunden mitteilen wollen. Fragen Sie sich, welche Einwände und Fragen der Gesprächspartner haben könnte und wie Sie diese beantworten oder entkräften könnten. Die Vorbereitung ist das A und O eines gekonnten Telefonats und hilft, geradliniger, reibungsloser und schneller das Ziel zu erreichen. Außerdem vermittelt es dem Kunden noch einen positiven Eindruck von Ihnen.

Telefonprofis kennen die Tücken des Fernsprechers und setzen besondere Kommunikationstechniken ein. Sie achten auf ihre Sprechweise und Stimmwirkung, klären und erklären die Situation und machen ihre Handlungen sichtbar, setzen verständliche Formulierungen ein, zeigen, daß sie zuhören, sorgen für Verständigungskontrolle, machen ihren persönlichen Einsatz auch mit Worten „sichtbar", schaffen eine persönliche Atmosphäre, verwenden positive Formulierungen und bereiten ihre Telefonate vor. Spätestens ab heute werden Sie auch zur Gruppe dieser Telefonprofis gehören!

1.3 „Ein Fall für Zwei" – Gesprächsführung beim Telefonieren

Wenn zwei Menschen miteinander telefonieren, dann treffen zwei Welten aufeinander und oftmals sind es völlig unbekannte Personen, die sich hier begegnen und die erstmals über das Telefon Kontakt aufnehmen. Telefonprofis berücksichtigen dies, setzen telefongerechte Kommunikationstechniken ein und beherrschen obendrein die partnerschaftliche Gesprächsführung. Partnerschaftliche Gesprächsführung erzeugt eine optimale Verständigung, Lenkung und Überzeugung im Telefonat. Sie reduziert es auf die notwendige Zeit, da das Ziel und der Zweck des Gespräches nicht aus den Augen verloren werden. Die richtige Gesprächsführung vermeidet Komplikationen, die durch Mißverständnisse oder durch unnötige oder unfruchtbare „Nebenschauplätze" des Gespräches erzeugt werden. Sie schafft persönliches Wohlbehagen der Telefonpartner, da einerseits Verletzungen durch negative Aussagen vermieden und andererseits belohnende Kommunikationsreize gesendet werden. Insgesamt ist die richtige Gesprächsführung in Telefonaten wichtigstes Hilfsmittel zur Erreichung geschäftlicher Erfolge und somit für jeden telefonierenden Autohausmitarbeiter unverzichtbares Handwerkszeug.

Ob wir selbst anrufen oder angerufen werden, unsere Gesprächsführungsfähigkeiten bestimmen den Verlauf und den Erfolg eines Telefonates.

A: *„Zenker & Sohn."*

B: *„Marsberg. Ich bin auf der Suche nach einem gebrauchten Amalfi 700. Haben Sie sowas?"*

A: *„Nee! Da haben Sie Pech gehabt. Letzte Woche stand noch einer da. Wochenlang wollte ihn keiner haben, dann ist er doch noch weggegangen."*

B: *„Und ob Sie bald wieder einen reinkriegen, wissen Sie das?"*

A: *„Wo denken Sie hin. Glauben Sie vielleicht ich kann hellsehen?"*

B: *„Hätte ja sein können, daß Sie einen erwarten. Oder?"*

A: *„Die Kunden glauben auch immer, wir bräuchten nur in die Schublade greifen und schon würden wir das richtige Gebrauchtfahrzeug für sie parat haben. Nee, so einfach ist das nicht. Was glauben Sie, wie hart heute das Gebrauchtwagengeschäft geworden ist. Machen Sie das mal eine Woche und Sie wünschen sich wieder an Ihren Schreibtisch zurück."*

B: *„Ja, ist ja schon gut. Wenn Sie keinen Amalfi 700 haben, kann man nichts machen. Danke."*

A: *„Auf Wiederhören!"*

Von Gesprächsführung war hier nichts zu merken. Der Autohausmitarbeiter hatte den Kundenanruf dazu benutzt, seinen Frust loszuwerden und den Kunden mit Weisheiten des Gebrauchtwagenverkaufs zu belästigen. So sollten Telefonate sicher nicht laufen!

1.3.1 „Ohren auf im Telefonverkehr!" – Gesprächsführung beginnt beim Zuhören

Was unser Anrufer von uns erwartet, welche Wünsche er hat und wie wir ihm helfen können, dies alles erfahren wir über das Zuhören. Zuhören ist die Basis des telefonischen Kundenkontaktes und richtiges Zuhörverhalten verschafft uns nicht nur die notwendigen Informationen, es vermittelt gleichzeitig Sympathie und baut Vertrauen auf. Wir müssen zuhören, um die Probleme und Wünsche des Kunden zu erfahren und dem Kunden zu zeigen, daß wir ihn und sein Anliegen ernst nehmen.

Falsches Zuhörverhalten begegnet uns täglich. Die Folgen kennen Sie: Es entstehen Mißverständnisse, das Gespräch läuft in die falsche Richtung und manchmal entwickeln sich daraus sogar Konflikte. Das Hauptziel beim Zuhören besteht darin, den Inhalt der Aussage unseres Gesprächspartners vollständig und in seinem Sinne richtig zu erfassen. Seine Aussage soll von uns so aufgenommen werden, wie er sie verstanden sehen möchte. Und genau da beginnt das Dilemma!

Zuhören ist zunächst vom Sprechverhalten des Telefonpartners abhängig. Je klarer, eindeutiger, weniger abschweifend und damit verständlicher der andere formuliert, desto genauer werden wir seine Aussage auch erfassen können. Hier zeigt sich die Qualität des Sprechers, doch nur wenige unserer Kunden beherrschen die Kunst der klaren Information. Doch Klagen hilft nicht, denn wir müssen mit den Schwächen unserer Kunden leben.

Also zurück zum Zuhören! Vielen Menschen fehlt etwas, was als oberstes Gebot des Zuhörens angesehen werden muß: Geduld und Zurückhaltung. Wenn der andere redet, dann haben wir „Pause", auch wenn uns die Ungeduld auf den Nägeln brennt. „Ins Wort fallen" oder „Dazwischenreden" sind Verhaltensweisen, die einen schlechten Zuhörer auszeichnen. Der Telefonprofi nimmt eine positive Grundhaltung gegenüber seinem Gesprächspartner ein und schafft eine kommunikative Atmosphäre. Er verfällt nicht in Teilnahmslosigkeit, sondern zeigt sein Zuhören.

1.3.1.1 Der Einsatz des zeigenden Zuhörens

Zeigen Sie Ihrem Gesprächspartner, daß Sie zuhören. Oder besser noch, lassen Sie es ihn hören, wenn Sie ihm und seinen Worten lauschen. Im Gespräch mit Sichtkontakt ist das einfacher. Dort haben wir den Blickkontakt und das dezente Kopfnicken als Signale der Aufmerksamkeit und Aufnahme. Im Telefonkontakt entfallen diese Möglichkeiten und es bleiben nur die sprachlichen Signale der Aufmerksamkeit: *„mhm", „ja", „sicher", „aha", „so"* usw. Dies sind kurze sprachliche Verstärker, die Sie einsetzen sollten, damit Ihr Gesprächspartner den richtigen positiven Eindruck von Ihnen und Ihrem Zuhörverhalten bekommt. Nichts ist unangenehmer für einen Sprecher, als keinerlei Resonanzsignale zu erhalten. Man redet dann in ein „schwarzes Loch" der Schweigsamkeit und ist geneigt, die Frage *„Sind Sie noch da?"* zu stellen. Geben Sie darum Ihrem Telefonpartner diese Aufmerksamkeitssignale, damit er merkt, daß er nicht mit Ihrem Anrufbeantworter spricht.

1.3.1.2 Gesprächsstrukturierung durch die Kunst des umschreibenden Zuhörens

Telefonprofis sorgen für Verständigungskontrolle! Die Kunst des umschreibenden Zuhörens gehört auch dazu. Das umschreibende Zuhören verringert Mißverständnisse. Die „Technik" besteht darin, die Aussage des Telefonpartners mit eigenen kurzen Worten zu wiederholen. Wir spiegeln sozusagen die Aussagen des anderen mit unseren Formulierungen. Dieses „Kontrollverhalten" ist bei Telefonaten besonders wichtig, da es die einzige Form der Rückmeldung darstellt. Folgende Sätze können Sie dabei verwenden:

„Verstehe ich Sie richtig, daß ... "

„Sie meinen also, daß ... "

„Wenn ich Sie richtig verstanden habe, dann ... "

Das Prinzip besteht darin, die Kernaussage des Kunden aus der Gesamtheit seiner Erzählungen herauszufiltern und sie mit eigenen Worten zu wiederholen. Dadurch geben Sie Ihrem Gesprächspartner die Möglichkeit festzustellen, ob Sie ihn richtig verstanden haben.

Schauen wir uns die beiden „Zuhörtechniken" an einem kleinen Gesprächsbeispiel einmal näher an:

A: *„Guten Tag, Autohaus Müller, mein Name ist Steffen. "*

B: *„Tag Herr Steffen, Merlow hier. Herr Steffen, Sie als Techniker müssen mir unbedingt helfen!"*

A: „*Gern Herr Merlow. Was kann ich für Sie tun?"*

B: „*Also passen Sie mal auf! Fahr' ich doch gestern mit meiner Familie durch den Schwarzwald. (A: „... mhm ...") Wissen Sie, sonntags machen wir ja gern mal einen Ausflug. Also, wir waren gerade vom Kaffeetrinken gekommen. Oben am Feldberg, dies kleine Restaurant links neben dem großen Parkplatz. Kennen Sie das? (A: „... ja ...") Also, die haben da ja einen ausgezeichneten Kirschkuchen. (A: „... ja ...") Ißt meine Schwiegermutter so gern. Wir also nach dem Kaffeetrinken wieder rein in unser schönes Auto und wieder langsam Richtung Heimat. Fahr' ich doch ganz gemütlich auf der Schwarzwaldhöhenstraße ... (A: „... ja ...") ... mehr als Neunzig bin ich bestimmt nicht gefahren ... also, es geht da so durch 'ne ganz seichte Linkskurve. Auf einmal gibt es einen Schlag vorne links. (A: „... oh ...") Ich dacht' ja erst, ich sei über irgendwas drübergefahren, aber war nicht. Meine Frau hat sich natürlich mächtig erschrocken und die Kinder waren auch ganz aufgeregt. (A: „... verständlich ...") Mensch, ich dachte auch, daß der Wagen auseinanderfliegt. Ist aber während der gesamten Heimfahrt nicht mehr aufgetreten. Sagen Sie mal Herr Steffen, was kann denn das nun gewesen sein?"*

B: „*Das klingt ja gar nicht so angenehm, was Sie da erlebt haben. Hab' ich das richtig verstanden, Herr Merlow, dieses Geräusch trat nur einmal auf, als Sie mit etwa neunzig Stundenkilometern in eine Linkskurve fuhren?"*

A: „*Richtig!"*

Sie sehen, das zeigende Zuhören unterbricht den Erzähler nicht, sondern begleitet seine Worte, während das umschreibende Zuhören erst eingesetzt werden sollte, wenn der Redner eine Gesprächspause einlegt.

1.3.2 „Fragen bringen uns weiter!" – Fragetechnik in Telefonaten

Fragen bringen mehr als nur Informationen. Sie steuern auch das Telefonat, führen damit in die gewünschte Richtung und aktivieren die Gesprächspartner. Wer seine Fragen gekonnt einsetzt, lernt die Wünsche, Einstellungen und Bedürfnisse seiner Telefonpartner kennen.

1.3.2.1 Offene Fragen

Offene Fragen dienen dazu, eine ausführliche Antwort vom Befragten zu erhalten. Sie werden auch als „W-Fragen" bezeichnet, da sie in der Regel von den Fragewörtern „wie", „was", „wo", „wer", „wann" usw. begleitet werden. Wer offene Fragen stellt, muß mit mehr als einer einsilbigen Ja/Nein-Reaktion rechnen. Typische Fragesätze für offene Fragen sind in Telefonaten:

„Was kann ich für Sie tun?"

„Was erwarten Sie besonders von einem Fahrzeug?"

„Wie haben Sie bisher Ihr Fahrzeug genutzt?"

„Wie hat sich das Geräusch erstmals bemerkbar gemacht?"

„Wie kam es zu Ihrer Entscheidung?"

Offene Fragen sind ungeeignet zur Entscheidungsherbeiführung, zur Gesprächs-verkürzung und zum Gesprächsabschluß. Sie sind jedoch geeignet zur Gesprächseröffnung (*„Was kann ich für Sie tun?"*), zur Hintergrunderhellung (*„An welches Fahrzeug aus unserer Modellreihe hatten Sie dabei gedacht?"*) oder zur Gesprächsaufforderung (*„Wie war's im Urlaub?"*).

Vermeiden Sie offene Fragen, die mit dem Fragewort „warum" verbunden sind! Warum-Fragen erzeugen Rechtfertigungshaltungen. Der so Befragte wird zumeist durch diese Frage in die Enge getrieben oder fühlt sich zumindest so. Es entsteht schnell das Gefühl des Ausgefragtwerdens. *„Warum haben Sie sich nicht gleich bei uns gemeldet?"*, *„Warum haben Sie sich gerade dieses Fahrzeug ausgesucht?"*, *„Warum haben Sie mich nicht früher angerufen?"* Auch wenn solche Fragen freundlich gemeint sind, sie hinterlassen immer einen bitteren Beigeschmack.

1.3.2.2 Geschlossene Fragen

Die geschlossene Frage zeichnet sich dadurch aus, daß der Befragte nur mit „Ja" oder „Nein" anworten kann.

„Kann ich Sie heute nochmals zurückrufen?"

„Benötigen Sie ein Ersatzfahrzeug?"

„Kann der Kollege Sie später zurückrufen?"

„Sind Sie unter dieser Telefonnummer erreichbar?"

„Ist Herr Müller jetzt zu sprechen?"

„Haben wir uns schon einmal vorher persönlich getroffen?"

Die Antwort auf diese Fragen ist in der Regel kurz und bündig: ja oder nein. Geschlossene Fragen führen – sofern sie zu häufig eingesetzt werden – zur Einsilbigkeit. Der Befragte gerät in eine eher passiv orientierte Gesprächssituation. Aus diesem Grund sind solche Fragen zur Erhellung eines Themas oder um die Bedürnisse und Erwartungen des anderen kennenzulernen weitgehend ungeeignet. Doch auch geschlossene Fragen machen an vielen Stellen eines Telefonates

Sinn: z. B. als Kontrollfragen, im Sinne des umschreibenden Zuhörens („*Verste-he ich Sie richtig, daß ...* "), oder zur Tatsachenfeststellung („*Benötigen Sie das Teil heute noch?*"). Um Entscheidungen und Zustimmungen herbeizuführen, sind diese Fragen auch geeignet („*Sind Sie damit einverstanden, wenn ...* ").

1.3.2.3 Faktenfragen

Mit dem Begriff Faktenfrage wird eine Frageart bezeichnet, die große Ähnlich-keit mit der bereits dargestellten offenen Frage hat. Doch anders als bei der offe-nen Frage ist die Antwort auf eine Faktenfrage relativ beschränkt.

> „*Wen möchten Sie sprechen?* "
>
> „*Wann kann ich Sie zurückrufen?* "
>
> „*Wo steht Ihr Fahrzeug jetzt?* "
>
> „*Wie ist das Kennzeichen Ihres Fahrzeugs?* "

Hier erhalten wir als Antwort zumeist kurze Erklärungen. Da wird uns ein Name, ein Kennzeichen oder eine Uhrzeit genannt. Mit diesen Fragen werden Fakten abgefragt, die wir für eine Beratung, für eine Hilfe oder einfach nur zur Fortsetzung eines Gespräches benötigen.

Oftmals sind wir gezwungen, unserem Telefonpartner einige dieser Faktenfragen hintereinander zu stellen. Denken Sie etwa an Telefonate im Teileverkauf oder an eine Terminvereinbarung im Kundendienst. In diesen „Ausfragesituationen" sollten Sie Ihre Fragen begründen oder ankündigen, damit der Kunde den Grund dieses Verhaltens versteht.

> „*Um für ihr Fahrzeug das richtige Teil heraussuchen zu können, benötige ich zunächst einige Daten von Ihnen ...* "
>
> „*Ich benötige von Ihnen noch einige Informationen, um Ihnen weiterhelfen zu können ...* "
>
> „*Bitte geben Sie mir noch einige Daten, damit ich ...* "

Wenn Sie den Kunden auf Ihre Faktenfragen vorbereiten, so wird er Ver-ständnis für Ihre „Fragerei" aufbringen können und sich nicht ausgefragt fühlen.

1.3.2.4 Die Alternativfrage

Bei der Alternativfrage lassen Sie dem Kunden immer die Wahlmöglichkeit zwi-schen zwei angebotenen Möglichkeiten. Der Befragte hat so das Gefühl der Entscheidungsfreiheit und gleichzeitig können wir durch die Auswahl der formulierten Alternativen eine Gesprächslenkung vornehmen. Alternativfragen sind immer dann einsetzbar, wenn Wahlmöglichkeiten vorhanden sind, z. B.:

„Werden Sie Ihr Fahrzeug um 16.00 oder 17.00 Uhr abholen?“

„Paßt es Ihnen besser am Vormittag oder am Nachmittag?“

„Möchten Sie Ihr Fahrzeug lieber am Dienstag oder am Donnerstag bringen?“

„Herr Dernbach spricht gerade auf der anderen Leitung. Möchten Sie warten oder dürfen wir Sie zurückrufen?“

„Darf ich für Sie zur Probefahrt den XT oder den X reservieren lassen?“

„Soll ich Ihnen das Teil per Expreß bestellen oder reicht Ihnen die normale Versendungsart?“

„Setzen Sie Ihr Fahrzeug hauptsächlich im Stadtverkehr oder bei Langstreckenfahrten ein?“

Alternativfragen dienen der Gesprächslenkung, so insbesondere zur Herbeiführung von Entscheidungen, zur Terminvereinbarung und zur Informationsklärung.

1.3.2.5 Die Suggestivfrage

Die Suggestivfrage ist eine besondere Form der geschlossenen Frage. Hier wird die Antwort bereits mit in die Frage „hineingepackt" und damit suggeriert.

„Sie sind doch sicher damit einverstanden, wenn ...?“

„Ihnen ist doch auch daran gelegen, daß ...?“

„Sie legen doch Wert auf ein wirtschaftliches Fahrzeug?“

Die Suggestivfrage ist mit Vorsicht einzusetzen. Sie ist wie ein Gewürz zu behandeln: Leicht dosiert kann sie das Gespräch verfeinern, im Übermaß die Suppe verderben. Darum darf diese Frageart nur selten verwendet werden. Nur wenn die eingepackte Unterstellung im zu erwartenden Zustimmungsbereich des Kunden liegt, können Sie beruhigt eine Suggestivfrage formulieren. Dann aber kann sie z. B. Gemeinsamkeiten hervorheben und dem Gespräch eine positive Richtung verleihen.

33

„Sie erwarten von Ihrem zukünftigen Fahrzeug sicher, daß ...?"

„Sicher wollen Sie doch auch, daß Ihr Fahrzeug so schnell als möglich wieder einsatzbereit ist?"

In solchen Fällen kann die Frageart dazu verwendet werden, um Übereinstimmung mit dem Telefonpartner zu erzielen.

1.3.2.6 Die Kontrollfrage

Kontrollfragen haben in Telefonaten eine besondere Wichtigkeit: sie strukturieren das Gespräch. Damit sind sie für den Telefonprofi ein unerläßliches Instrument der Gesprächsführung. Kontrollfragen können sowohl zu der Gruppe der geschlossenen Fragen, als auch zu den Faktenfragen gezählt werden.

„Mit welchen Positionen der Rechnung sind Sie nicht einverstanden?"

„Trat der Fehler erst nach dem Werkstattbesuch auf?"

„Kommt für Sie der XT grundsätzlich nicht in Frage?"

„Habe ich Sie richtig verstanden: Der Kollege hat Ihnen gesagt, daß ...?"

„Welche weiteren Fragen kann ich Ihnen jetzt noch beantworten?"

„Sind Sie einverstanden, wenn wir zunächst ... und dann ...?"

„Dann darf ich notieren, daß ...?"

Kontrollfragen sichern den Informationsstand, schaffen Klarheit, Eindeutigkeit und sparen dadurch Zeit und unnötige Diskussionen. Mit ihnen werden Standpunkte und Widersprüche offengelegt oder Gemeinsamkeiten manifestiert.

1.3.2.7 Die Nach- oder Gegenfrage

Auch hier ist Vorsicht „angesagt"! Sie kennen diese Methode vielleicht von Ihren Kindern. Vater: *„Dein Lehrer schreibt mir, daß Du gestern Deine Hausaufgaben nicht hattest. Wie kam es dazu?"* – Gegenfrage des Sohnes: *„Wieso glaubst Du immer nur meinem Lehrer?"* – Ja, Gegenfragen können nerven und den Eindruck des Ausweichens erzeugen. Dennoch gibt es auch im Telefonat Situationen, in denen wir sie sinnvoll einsetzen können. Sie eignen sich zum Beispiel dann, wenn es notwendig ist, eine Position, einen Standpunkt oder eine Meinung zu hinterfragen. Dies ist insbesondere dann angebracht, wenn der Kunde mit pauschalen Aussagen oder Behauptungen den weiteren Gesprächsverlauf blockiert oder wenn eine Kundenfrage im ersten Moment nicht durchschaubar ist.

A. „Das ist mir zu teuer!"

B: „Herr Kunde, darf ich fragen, warum Ihnen der Preis zu hoch erscheint?"

A: „Der Wagen ist nichts für mich!"

B: „Herr Kunde, mich interessiert wie Sie zu dieser Meinung gekommen sind. Bitte sagen Sie mir doch ..."

A: „Wieso ist denn an meinem Wagen der Ölwechsel ausgeführt worden?"

B: „Herr Kunde, darf ich zunächst fragen, ob Sie den Ölwechel nicht in Auftrag gaben?"

> Bei Nach- und Gegenfragen ist es durchaus angebracht, etwas vorsichtiger, weicher zu fragen, um keine Konfrontation zu erzeugen.

Jeder, der Telefonate in seiner täglichen Arbeit zu führen hat, sollte die Fragetechniken beherrschen, um sie sich im Gespräch zunutze machen zu können. Schauen wir uns das nochmals an einem Gesprächsausschnitt an:

A: „Auto Meister, Mertens, guten Tag."

B: „Guten Tag. Ich hätte gern Herrn Kleber gesprochen."

A: „Sind Sie so freundlich und sagen mir Ihren Namen, ich hab' ihn eben leider nicht verstanden."

B: „Otto."

A: „Herr Otto, es tut mir leid, Herr Kleber telefoniert gerade auf der anderen Leitung. Möchten Sie warten oder soll er Sie zurückrufen."

B: „Nee, dann soll er mich lieber zurückrufen."

A: „Gern Herr Otto. Unter welcher Rufnummer kann er Sie in der nächsten Stunde erreichen?"

B: „Einundreißig – zwölf – dreizehn."

A: „Ich darf nochmals wiederholen: einundreißig – zwölf – dreizehn. Herr Otto, das ist hier am Ort?"

B: „Ja."

A: „Was darf ich Herrn Kleber bereits ausrichten, damit er sich vielleicht notwendige Unterlagen für das Telefonat heraussuchen kann?"

A: „Sagen Sie ihm bitte, es geht um die letzte Werkstattrechnung."

B: „Ja gern. Wären Sie so freundlich und würden mir Ihr Kennzeichen geben, dann könnte ich darüber bereits im Computer die Rechnung aufrufen."

A: „CV-AD 566. Sie machen das aber kompliziert."

B: „Herr Otto, es tut mir leid, wenn Sie diesen Eindruck gewonnen haben. Darf ich fragen, wodurch Sie zu dieser Ansicht gekommen sind?"

A: „Na, weil Sie jetzt auch noch das Kennzeichen von mir wissen wollen."

B: „Herr Otto, Sie möchten doch sicherlich, daß Herr Kleber Ihnen gleich weiterhelfen kann, wenn er Sie zurückruft? (A: „Na klar!") Sehen Sie, und damit er alle Unterlagen für das Telefonat parat hat, mußte ich Sie mit meinen Fragen etwas löchern. Ich hoffe Sie können mir das nochmals verzeihen?"

A: „Ja, ja, ist schon in Ordnung. War auch nicht so gemeint von mir."

B: „Prima. Kann ich Ihnen jetzt noch behilflich sein?"

A: „Nein."

B: „Gut. Herr Otto, Herr Kleber wird Sie dann in der nächsten Stunde unter der Rufnummer einunddreißig – zwölf – dreizehn zurückrufen. Herzlichen Dank für Ihren Anruf."

A: „Danke auch. Auf Wiederhören."

B: „Auf Wiederhören, Herr Otto."

1.3.3   „Und was hab' ich davon?" – Gesprächslenkung durch Vorteilsdarstellung

Viele unserer täglichen Telefonate sind „Überzeugungsgespräche". Verkäufer wollen von einer Probefahrt überzeugen, Kundendienstberater von einer notwendigen Zusatzarbeit und Sekretärinnen müssen einen Termin „verkaufen". Überzeugungsarbeit ist überall notwendig. Und überall gilt das „Egoismus-Prinzip": Wir Menschen sind Egoisten, wir wollen immer unseren Vorteil, unseren Nutzen sehen, dann sind wir viel leichter zu einer Entscheidung bereit. Natürlich will auch unser Kunde seinen Vorteil sehen.

Welchen Grund hat der Kunde sonst, bei uns seinen Neuwagen zu kaufen, sein Fahrzeug warten zu lassen und sein Zubehör zu erwerben? Nur auf der Basis eines persönlichen Nutzens wird die Entscheidung zu unseren Gunsten ausfallen. Weil wir freundlicher, kundenorientierter, schneller, qualifizierter, preisgünstiger oder auch nur einfacher zu erreichen sind als die Konkurrenz? Irgendeinen Vorteil müssen wir dem Kunden bieten, sonst würde er nicht zu uns kommen. Und was für Kauf- und Auftragsentscheidungen gilt, das gilt auch für die kleinen täglichen Entscheidungen in den Telefonkontakten. Welchen Vorteil hat der Kunde, wenn er uns am Telefon seinen Namen nennt? Welchen Nutzen zieht er daraus, daß er uns mit Informationen weiterhilft? Wissen Sie es?

Verschaffen Sie dem Kunden einen Nutzen, und er wird sich überzeugen lassen. Deshalb muß jedes sachliche Argument in einen Kundenvorteil nach dem Motto „Das bedeutet für Sie ..." umgewandelt werden.

„Sind Sie so nett und geben mir Ihre Telefonnummer? Dann kann Herr Klein Sie schneller zurückrufen." (Und nicht: *„Dann muß ich nicht erst die Nummer heraussuchen."*)

„Wenn Sie bereits eine halbe Stunde früher kommen könnten, dann hätte Herr Meier mehr Zeit für Sie und Ihnen entstünde keine unangenehme Wartezeit." (Und nicht: *„Sonst bekäme ich ganz schön Terminschwierigkeiten."*)

„Wenn Sie sich jetzt für diese Reparatur entscheiden, würden Sie sich dadurch einen lästigen zweiten Weg in die Werkstatt ersparen." (Und nicht: *„Hätten wir einen höheren Werkstattumsatz."*)

„Wenn wir den Termin für die Probefahrt zwei Stunden früher legen, dann könnten Sie den Wagen noch bei Tageslicht bewundern." (Und nicht: *„Ich hätte es dann schwerer, Ihnen den Wagen zu verkaufen."*)

„Wenn Sie so freundlich wären und mir die Rechnungsnummer nennen würden, könnte ich Ihnen sofort weiterhelfen." (Und nicht: *„Würde ich mir die lästige Sucherei ersparen."*)

Vorteile für den Kunden können sowohl aus der Vermeidung von zusätzlichen unangenehmen Dingen (z. B. Kosten, Wartezeit, Umstände), als auch in der Erreichung eines Positiverlebnisses (z. B. Fahrvergnügen, Sicherheit, Schnelligkeit usw.) entstehen. Der Tip: bestimmte Worte eignen sich besonders gut zur Nutzendarstellung. Verwenden Sie Worte wie „erhöht", „ermöglicht", „steigert", „sichert", „verschafft", „spart", „hilft" usw.

1.3.4 „Damit bin ich nicht einverstanden!" – Wenn der Kunde Einwände hat

Ohne Einwände geht es nicht. In der Praxis begegnen uns in vielen Telefonsituationen Einwände des Kunden. Wir müssen uns auf diese Einwände einstellen und auf sie sinnvoll reagieren. Manche Mitarbeiter lassen sich von Einwänden „aus der Bahn werfen", stecken auf oder nehmen diese Einwände als Anlaß ihren Frust loszuwerden. Sind Ihnen solche Reaktionen auch schon einmal begegnet?

Beispiel 1: Resignation:

A: *„Das klingt ja ganz gut, was Sie mir da über den Wagen erzählt haben. Aber wissen Sie, ich hab' eigentlich noch gar nicht an eine Neuanschaffung gedacht."*

B: *„Tja, da kann man nichts machen. Sie melden sich sicher, wenn die Neuwagenentscheidung ansteht."*

Beispiel 2: Provokation:

A: *„Bei einem Vierzigtausendmarkauto wollen Sie mir erzählen, daß die Bremsscheiben so schnell hinüber sind. Das kann doch nicht mit rechten Dingen zugehen."*

B: *„Glauben Sie etwa, wir würden Sie anlügen?"*

Beispiel 3: Unverständnis:

A: *„Aber bei einem so bedeutenden Hersteller kann es doch nicht angehen, daß ich 14 Tage auf ein Ersatzteil warten muß!"*

B: *„Wie ich's Ihnen gesagt habe, das ist so. Ich kann Ihnen auch nicht mehr dazu sagen."*

Beispiel 4: Gegenangriff:

A: *„Ich finde, das dauert ziemlich lange, bis Sie so'ne läppische Teilenummer in Ihrem Katalog gefunden haben."*

B: *„Wenn Sie mir keine vernünftigen Angaben machen können, dann muß das ja so lange dauern."*

Mit solchen Reaktionen werden Kunden nur verärgert, keinesfalls werden damit Einwände sinnvoll behandelt. Was also tun, wenn Einwände im Telefonat genannt werden?

Vergegenwärtigen wir uns zunächst die Motivation des Kunden für die Nennung eines Einwandes: Einwände sind wichtige Schritte auf dem Weg zum „Ja" des Kunden und ohne sie wäre der Kunde zum jasagenden Opportunisten degradiert. Ein Einwand zeigt, daß der Kunde noch mit Interesse bei der Sache ist. Wer Einwände nennt, zeigt die gedankliche Auseinandersetzung mit unserem Vorschlag oder unserem Angebot. Während eines Telefonates zeigen die Einwände, daß der Gesprächspartner noch weitere Informationen oder Argumente benötigt. Wohl dem, der somit die Einwände als positives Zeichen des Gesprächsverlaufes wertet und sich durch sie in einem positiven Sinne herausgefordert fühlt.

Die Verhaltensempfehlung zur Einwandbehandlung lautet:

1. Schritt: Einwand aufmerksam anhören.

2. Schritt: Verständnis für den Einwand zeigen.

3. Schritt: Gegebenenfalls nachfragen.

4. Schritt: Zusätzliche Informationen und Argumente bringen.

Schauen wir uns diese Vorgehensweise an den oben dargestellten Einwänden näher an.

Beispiel 1:

A: *„Das klingt ja ganz gut, was Sie mir da über den Wagen erzählt haben. Aber wissen Sie, ich hab' eigentlich noch gar nicht an eine Neuanschaffung gedacht."*

B: *„Ja, Herr Kunde, es freut mich, daß Ihnen meine Argumente zusagen. Ich kann gut verstehen, daß ich Sie mit meinem Angebot jetzt etwas überrasche. Darf ich fragen, wie lange Sie Ihren jetzigen Wagen bereits fahren? ... Dann wäre es doch sicher interessant für Sie ... "*

Beispiel 2:

A: *„Bei einem Vierzigtausendmarkauto wollen Sie mir erzählen, daß die Bremsscheiben so schnell hinüber sind. Das kann doch nicht mit rechten Dingen zugehen."*

B: *„Herr Kunde, ich kann das sehr gut nachvollziehen, daß Sie diese Nachricht überrascht. Es ging mir auch so, als der Mechaniker mir davon berichtete, darum habe ich mir Ihre Bremsscheiben gleich selbst nochmals angesehen und mich von der Richtigkeit überzeugt. Leider ist es so. Darf ich Ihnen erläutern, wie es zu solch schnellem Verschleiß kommen kann?"*

Beispiel 3:

A: *„Aber bei einem so bedeutenden Hersteller kann es doch nicht angehen, daß ich 14 Tage auf ein Ersatzteil warten muß!"*

B: *„Ich weiß, Herr Kunde, daß meine Information Sie verärgern muß. Das ginge mir sicherlich ähnlich. Sie wissen, das Werk ist auch von Zulieferern* *abhängig und da hat es einen Lieferrückstand gegeben. Ich habe mich bereits selbst im Werk nach dem Verbleib des Teils erkundigt ... "*

Beispiel 4:

A: *„Ich finde, das dauert ziemlich lange, bis Sie so 'ne läppische Teilenummer in Ihrem Katalog gefunden haben. "*

B: *„Oh, das kann ich mir gut vorstellen, daß Sie die Wartezeit jetzt verärgert hat. Darf ich fragen, ob Sie schon einmal einen Blick in unser Lager werfen konnten? "*

A. *„Nein! "*

B: *„Dann ist mir Ihre Reaktion noch verständlicher. Wir lagern bei uns circa 50 000 Teile. Um ein bestimmtes Teil herauszusuchen muß ich zunächst ... "*

Seien Sie gnädig mit Ihren Kunden! Gerade am Telefon entstehen häufig Unverständnis oder Glaubwürdigkeitszweifel, die sich dann in Einwänden bemerkbar machen. Der Telefonprofi nutzt diese Momente, um dem Kunden zusätzliche Informationen oder Argumente an die Hand geben zu können.

Übrigens: Verständnis kann nur haben, wer versteht. Zum Verstehen aber benötigt unser Kunde ausreichende Informationen. Geben Sie sie ihm!

2 „Immer auf Draht!" – Jeder Telefonsituation im Autohaus gewachsen sein

Die Telefonanlässe im Autohaus sind vielfältig: Ob Preis- oder Lieferanfragen, Terminvereinbarungen, Zufriedenheitsnachfragen oder Auftragserweiterungen und Akquisitionen ...

Noch vielfältiger sind die Telefonpartner: Da gibt es „Quasselstrippen" und „Wortmuffel", Liebenswürdige und Schroffe, Verständnisvolle und Verständnislose, Friedfertige und Angriffslustige, Laute und Leise, Nuschler und Klartextredner und, und, und ... halt so vielfarbig wie die Palette der Menschen auf dieser Welt.

Wer in all den täglichen Telefonaten immer „auf Draht" sein will, muß situations- und personenspezifisch reagieren können, dann wird sein Telefonverhalten angemessen und somit erfolgreich sein. Doch wer kann das? Nur der Begabte, das Telefontalent von Geburt an? Nein! Professionell geführte Telefonate sind zunächst eine Frage des systematischen Vorgehens.

Der erste Schritt dieses systematischen Vorgehens besteht in der Analyse der täglichen Telefonsituationen im Autohaus, wobei drei einfache aber wirkungsvolle Fragen helfen können:

1. Frage: Von wem geht die Kontaktinitiative aus?

2. Frage: Wer ist der Gesprächspartner?

3. Frage: Welches Ziel hat die Kontaktaufnahme?

Betrachten wir den Hintergrund jeder einzelnen Frage näher:

Von wem geht die Kontaktinitiative aus? Rufen wir an oder werden wir angerufen? Das ist das Schöne am Telefon, man weiß hinterher immer, wer „angefangen" hat. In persönlichen Gesprächen ist dies in der Regel nicht so eindeutig. Hier gibt es zufällige Begegnungen – am Telefon nicht, oder zumindest äußerst selten. Man telefoniert nicht zufällig mit jemandem! Telefonate kommen nur aufgrund bewußter Handlungen zustande. Jemand fängt an und läßt es beim anderen läuten. Daraus entsteht eine aktive (Anrufer) und eine passive (Angerufener) Telefonsituation, die ein unterschiedliches Verhalten erfordert.

Wer ist der Gesprächspartner? Menschen aus allen sozialen Schichten mit unterschiedlichen Berufen und verschiedenartigsten charakterlichen Eigenarten fahren Auto und kommen dadurch zwangsläufig auch mit uns früher oder später telefonisch in Kontakt. Keiner erwartet von uns eine Persönlichkeitsanalyse des Gesprächspartners am Telefon. Bevor wir in die Tiefen der „Telefonpartner-Persönlichkeit" gehen, sind einfache Fragen wichtiger: Ist der Gesprächspartner bekannt oder unbekannt? Ist er Kunde, zu dem schon eine lange Geschäftsbeziehung besteht oder tritt er uns erstmals als Interessent entgegen. Kunde oder Nichtkunde, diese Unterscheidung soll uns hier zunächst genügen.

Welches Ziel hat die Kontaktaufnahme? Wer irgendwo anruft hat auch ein Ziel, er will etwas. Anrufe sind höchst selten ziellos, auch wenn dieser Eindruck manchmal beim Angerufenen entsteht. Wir wollen etwas vom Kunden oder er will etwas von uns, je nachdem, wer als Anrufer auftritt. Will der Kunde einen Inspektionstermin oder wollen wir ihn zu einer Sonderveranstaltung unseres Hauses einladen? Der Anlaß einer Kontaktaufnahme bestimmt das Vorgehen des Anrufers und die Reaktionen des Angerufenen. Somit kommen Telefonprofis auch an dieser Frage nicht vorbei.

Die folgenden Kapitel sind nach diesen Systematikfragen aufgebaut. Zunächst werden wir uns mit Fragen beschäftigen, die abteilungsübergreifend von Bedeutung sind, z. B. die passive oder aktive Telefonsituation. Danach betrachten wir die Telefonate unter abteilungsspezifischen Gesichtspunkten (z. B. Verkauf, Kundendienst usw.) und werden uns dann innerhalb dieser Kapitel mit den Fragen verschiedener Gesprächsanlässe und -partner (z. B. Nichtkundenanrufe, Terminvereinbarungen usw.) auseinandersetzen.

2.1 „Vorsicht, ein Kunde ruft an!" – Die Visitenkartenfunktion des eigenen Telefonverhaltens

„Ruf' doch mal an!" wirbt die Bundespost und etliche Menschen nehmen diese Aufforderung wörtlich und rufen bei uns an. Für Kunden und Interessenten ist dies oft der erste Schritt ins Autohaus. Und ob der erste Schritt angenehm ist oder zum anstrengenden Hürdenlauf wird, das bestimmt der Angerufene. Wer zum Hörer des läutenden Telefons greift, sollte sich der werbenden Wirkung seines Telefonverhaltens bewußt sein, denn er repräsentiert in diesem Moment den gesamten Betrieb und übergibt seinem Telefonpartner sozusagen die Visitenkarte des Betriebes.

Wer einen eingehenden Anruf entgegennimmt ist zunächst ahnungslos, denn er weiß nicht, wer was von ihm will. „Freund" oder „Feind", Neuwageninteressent oder Reklamierender, alles ist möglich. Der Anrufer kennt sein Ziel, der Angerufene muß es erst noch herausfinden und darauf reagieren. Ob die „Geburtshelfer-" oder die „Stoßdämpferfunktion" von ihm erwartet wird, zeigt sich erst im Gespräch. Fazit: Der Angerufene muß auf der Hut sein. Die telefonische Visitenkarte, volle Konzentration und das richtige Reaktionsvermögen werden von ihm erwartet.

2.1.1 „Die ersten 30 Sekunden bestimmen den Erfolg!" – Meldung und Namensansprache in der Empfangsphase

Vielerorts werden eingehende Telefonate als Unterbrechung der eigenen Tätigkeit empfunden und entsprechend wird mit ihnen umgegangen. Da nervt zwar das erbarmungslose Läuten aber mit stoischer Ruhe wird die begonnene Tätigkeit erst zu Ende geführt. Natürlich können eingehende Gespräche auch „nerven", können eine konzentrierte Arbeit unterbrechen, ein Kundengespräch stören. Dennoch: Versetzen wir uns in die Lage des Anrufers! Vielfache Wählversuche aufgrund besetzter Leitungen und langes „Durchklingeln" gehören nicht zu den Sternstunden eines Anrufers. Im Gegenteil: sie erzeugen Frust und Ärger, fördern aggressives Verhalten.

Keiner kann verlangen, daß jeder Autohausmitarbeiter immer eine Hand am Telefonhörer hat, um bei einem eventuellen Anruf schnellstmöglich zum Hörer greifen zu können. Dennoch sollten wir versuchen, spätestens nach dem dritten Signalton am Apparat zu sein. Und wer zum Telefon „sprintet", möge sich zumindest eine kleine Verschnaufpause gönnen, denn auch gehetzte Gesprächspartner hinterlassen keinen guten Eindruck. Übrigens: Sie müssen nicht sofort

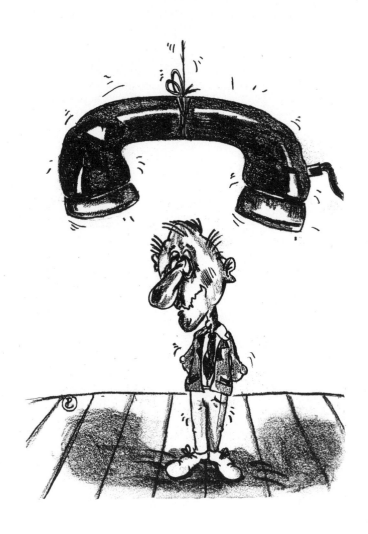

nach dem ersten Signalton abheben. Manche Gesprächspartner werden durch zu schnelles Melden regelrecht aus dem Konzept gebracht.

Und dann der Höhepunkt der Anrufentgegennahme: die Meldung. Wer jetzt durch seinen Tonfall zu erkennen gibt, daß er eigentlich etwas Besseres zu tun hätte als den Anruf anzunehmen, der sollte sich über entsprechende Gesprächspartnerreaktionen nicht wundern. Meldungen am Telefon gehören zur täglichen Routine und diese beinhaltet Routinegefahren. Unverständliche Meldungen gehören in manchen Betrieben zur Tagesordnung. Dort handelt man nach dem Prinzip: der Kunde weiß doch wo er anruft, warum sollen wir ihm dann noch deutlich zu verstehen geben, wo er „gelandet" ist. Blitzschnell wird dem Anrufer die Meldung entgegengeschleudert, so als ginge es um einen Schnellsprechwettbewerb, Begrüßungen werden als überflüssig angesehen und Namensnennungen als lästig.

Doch Spaß beiseite, Kundenorientierung beginnt beim telefonischen Empfang und damit auch bei der Meldung. Diese sollte aus dem Tagesgruß, dem Firmennamen und dem Eigennamen bestehen.

„Autohaus Berger, Glöckner, guten Tag!"

„Guten Tag, Autohaus Berger, mein Name ist Glöckner."

Besser ist die zweite Meldung, da hier der Tagesgruß vorangestellt wird. Daß diese Meldung trotz Routine auch verständlich und freundlich erfolgen sollte, versteht sich eigentlich von selbst. Diese Form des telefonischen Empfangs muß für jeden „Erstmelder" Pflicht sein. Auch die Telefonistin eines großen Betriebes, die den Anrufer nur „weiterleitet", sollte sich nicht namenlos präsentieren.

Auch die Chefs der Betriebe sowie ihre Töchter und Söhne sollten diese Meldung übernehmen. Eine Vielzahl von Betrieben in unserem Land ist mit mitarbeitenden Familienmitgliedern „bestückt". Wenn alle Familienmitglieder sich nur mit ihrem Nachnamen melden, wie soll da der Kunde unterscheiden können, ob er mit Tochter oder Mutter, Enkel oder Großvater telefoniert? Hier empfiehlt es sich, den Vornamen bei der Meldung mit einzusetzen, bzw. ein „Senior" oder „Junior" dem Namen hinzuzufügen.

„Guten Tag, Autohaus Berger, Berger senior!"

„Guten Tag, Autohaus Berger, Klaus Berger!"

Zeigen Sie sich auch als Chefin oder Chef von Ihrer kundenorientierten Seite, selbst wenn es am Anfang noch schwerfällt oder es Ihnen „blöd" vorkommt. Kunden empfinden das gar nicht so und außerdem vermeiden Sie mögliche Verwechslungen und die damit verbundenen Mißverständnisse bzw. zeitraubenden „Aufklärungsgespräche". Außerdem haben Sie als Vorgesetzter eine Vorbild-funktion, an der sich Mitarbeiter orientieren.

„Wie war doch gleich Ihr Name?" Kennen Sie diese Formulierung auch? Da hat man sein Anliegen lang und breit geschildert, vielleicht sogar bereits ein längeres Gespräch geführt und jetzt, bevor man weiterverbunden werden soll oder wenn das Gespräch bereits seinem Ende zugeht, kommt diese Frage nach dem Namen. Und dann auch noch in der Vergangenheitsform („Wie war ...") formuliert, so als hätte man den Namen bereits abgelegt oder sei zwischenzeitlich verstorben.

Machen Sie es sich zur Angewohnheit, sofort während der Namensnennung des Anrufers seinen Namen auf einem Notizblatt zu vermerken. So werden Sie den Namen nicht vergessen und können ihn mehrmals während des folgenden Gespräches anwenden. Sie werden jetzt vielleicht einwenden, der Name sei oft schwer oder gar nicht zu verstehen. Manche Anrufer nennen sogar ihren Namen überhaupt nicht. Richtig, doch wer hindert uns am Nachfragen? Eigentlich nur unser fehlender Mut. Geben Sie nicht auf halber Strecke auf! Zweimal nachgefragt und dann doch noch die falsche Namensansprache bereitet eher Verdruß. Lassen Sie sich den Namen des Anrufers notfalls buchstabieren. Wenn Sie höflich und freundlich diese Bitte äußern, werden die meisten Gesprächspartner dies gerne für Sie tun.

„Sind Sie so nett und nennen mir bitte Ihren Namen!"

„Ich hab' Ihren Namen leider nicht richtig verstanden, würden Sie ihn nochmals wiederholen?"

„Hier ist es gerade sehr laut, darum verstand ich Ihren Namen nicht richtig. Bitte buchstabieren Sie mir doch Ihren Namen, damit ich Sie richtig ansprechen kann."

Wer die Zentrale bedient oder die Vorzimmerfunktion im Betrieb übernimmt, kann bei hartnäckigen Gesprächspartnern die folgende Formulierung zusätzlich einsetzen:

„Ich darf leider keine Gesprächspartner durchstellen, deren Name mir nicht bekannt ist. Bitte seien Sie doch so freundlich und nennen mir Ihren Namen."

Sie sollten bei der Namenserfragung ganz konsequent sein und das Gespräch nicht weiterführen bzw. weitervermitteln, ohne den Namen richtig verstanden zu haben. Daß das nicht zur „Pförtnermethode" nach dem Motto „Ausweis bitte!" verkommen darf, versteht sich für den Telefonprofi von selbst.

2.1.2 „Quo vadis?" – Das Anliegen des Anrufers erfahren

Große Betriebe verfügen zumeist über eine gesonderte Telefonzentrale. Aber nicht nur dort, auch in kleinen Betrieben ist das Weiterverbinden von Gesprächen eine notwendige Sache, die mit Geschick ausgeführt werden muß. Kunden ärgern sich über lange Suchaktionen, die zur Auffindung des gewünschten Gesprächspartners veranstaltet werden. Da kommt Frust hoch, wenn das Gespräch nach fünf Zwischenstationen wieder am Ausgangspunkt landet, wenn eine unpersönliche „Durchstelltechnik" praktiziert wird oder wenn Hilfsangebote unterbleiben.

Doch erfolgreich weiterverbunden werden kann in vielen Fällen nur der Gesprächspartner, dessen Anliegen bekannt ist. Sei es nun, daß Sie im Betrieb eine „Vorzimmer-Barrierenfunktion" haben (z. B. im Chefsekretariat) und nur Gesprächspartner weiterverbinden sollen, dessen Namen und Anliegen Sie kennen oder sei es, daß Sie Vermittlungsfunktion haben und einen „unwissenden" Gesprächspartner telefonisch an die richtige Stelle des Betriebes leiten müssen. In beiden Fällen benötigen Sie Hinweise zum Anliegen des Anrufers. Oft nennt uns der Telefonpartner seine Wünsche ungefragt und wir können entsprechend reagieren. In anderen Fällen ist die Nachfrage unerläßlich.

„Womit kann ich Ihnen behilflich sein?"

„Was kann ich für Sie tun?"

Das sind höfliche Eingangsfragen, die Sie einsetzen können. Vermeiden Sie jedoch hier die Formulierungen:

„Worum geht es bitte?"

„In welcher Angelegenheit rufen Sie an?"

Beide Formulierungen klingen zu unpersönlich, zu bürokratisch und sind deshalb ungeeignet. Darüber hinaus hat die „Worum geht es?"-Frage eine besondere Problematik. Sie führt entweder zu schroffen Anruferreaktionen wie „Das geht Sie nichts an!", „Das möchte ich Herrn X lieber selbst sagen!" oder „Das ist privat!" und Sie landen damit in einer Gesprächssackgasse. Oder der so Befragte fühlt sich aufgefordert, Ihnen seine „Story", seinen Leidensweg und die gesammelten Fahrzeugerlebnisse zu schildern und Sie haben urplötzlich einen Vielredner, den Sie nur ungern unterbrechen. Zum guten Schluß müssen Sie Ihn doch noch enttäuschen und ihm mitteilen, daß nicht Sie, sondern nur der Kollege ihm weiterhelfen kann. Das führt dann zwangsläufig zur Anruferfrage „Und warum lassen Sie mich Ihnen dann erst alles erzählen?".

„Wie man es macht, macht man es falsch!", könnten Sie als Leser jetzt denken. Nein, es gibt auch eine richtige Verhaltensvariante. Bitten Sie den Anrufer, Ihnen ein Stichwort zu geben, eine kurze Information, die Ihnen bei der Einordnung des Anliegens und zur richtigen Weitervermittlung behilflich ist.

„Geben Sie mir bitte ein Stichwort, das ich Herrn X sagen kann, damit er sich auf das Gespräch einstellen kann."

„Wenn Sie mir Ihr Anliegen kurz schildern, so daß ich Sie zum richtigen Kollegen weiterverbinden kann."

„Helfen Sie mir doch mit einem knappen Hinweis, dann ..."

Sie können den Anrufer durch eine entsprechende Formulierung zur Kurzschilderung anregen, in dem Sie Begriffe verwenden, die dazu auffordern (z. B. „kurz", „knapp", „Information", „Tip", „Hinweis" usw.).

2.1.3 „Kleinen Moment, ich leg' Sie mal um!" – Das Weiterverbinden von Gesprächen

Sind Sie auch schon einmal als Anrufer „umgelegt", „draufgelegt" oder „nach hinten gelegt" worden? Wenn ja, dann kennen Sie aus eigener Anschauung die Qualität solcher Weiterverbindungsformulierungen. Doch nicht nur die Redewendungen, mit denen Gespräche vermittelt werden, sind von Bedeutung, auch das, was sich hier organisatorisch abspielt, ist entscheidend.

Weiterverbindungen müssen auf ein Minimalmaß beschränkt bleiben, denn der „Buchbinder-Wanninger-Effekt" verärgert unseren Anrufer. Darum ist es notwendig, daß jeder, der einen Anruf erhält, welcher nicht in seinem Zuständigkeitsbereich liegt, die Zuständigkeiten schnell und kompetent klärt, zügig und freundlich weiterverbindet oder gegebenenfalls einen Rückruf anbietet.

Die Wartezeit auf einen gewünschten Gesprächspartner sollte für Ihren Anrufer nicht die Dauer von einer Minute überschreiten. Wartezeiten am Telefon werden als weitaus länger eingeschätzt, als sie oftmals sind. Ist ein gewünschter Gesprächspartner anderweitig beschäftigt, telefoniert er auf einer zweiten Leitung oder ist er zur Zeit nicht an seinem Arbeitsplatz, so können zwangsläufig Wartezeiten für den Anrufer entstehen. In diesem Fall ist es sinnvoll, dem Kunden die Wahlmöglichkeit des Rückrufes oder des Wartens zu geben.

„Herr Müller, Herr Klages telefoniert gerade auf der anderen Leitung. Soll Herr Klages Sie zurückrufen oder möchten Sie warten?"

Der Kunde hat so die Entscheidungsfreiheit und wird nicht nur einfach „draufgelegt". Außerdem werden vom Wartenden jetzt längere Wartezeiten „ertragen", wenn er sich selbst für sie entschieden hat. Dennoch sollte auch hier die „20-Sekunden-Regel" angewandt werden. Dies bedeutet, daß ein in der Leitung wartender Anrufer spätestens nach 20 Sekunden eine Zwischeninformation über den „Wartestand" erhalten sollte.

„Herr Müller, Herr Klages telefoniert leider noch. Möchten Sie weiterhin warten?"

So erhalten Sie sich die „Freundschaft" des Kunden, wenn er sich in „Warteposition" befindet.

Sehr positiv wirken Telefonanlagen, die dem Anrufer während einer Wartezeit eine Musikeinspielung bieten. Doch verlassen Sie sich nicht nur auf diese „Zwischenunterhaltung". Drei Minuten in der Leitung „hängen" und die „Dudelei" zu hören, kann auch höchst aufreizend sein.

Der Telefonprofi vermittelt Gespräche so, daß auch hieraus für den Anrufer eine positive Erfahrung mit dem Betrieb wird. Nennen Sie den Namen und die Abteilung des nächsten Gesprächspartners, werten Sie diesen gegebenenfalls auf oder drücken Sie Ihre Zuversicht aus, daß dem Anrufer dort sicher kompetent weitergeholfen wird.

„Ich verbinde Sie mit Herr Diemel, unserem Lagerleiter, der wird Ihnen dabei ganz sicher helfen können."

„Einen kleinen Moment bitte, Herr Klaus. Ich stelle das Gespräch zu Herrn Bertram, dem zuständigen Gebietsverkäufer, der wird Ihnen sicher all Ihre Fragen beantworten können."

So schaffen Sie auch Ihrem Kollegen einen positiven Einstieg in seinen Gesprächspart.

2.1.4 „Tut mir leid, Herr Meier ist nicht im Haus." – Von der Telefonnotiz zum Rückruf

Natürlich ist nicht jeder gewünschte Gesprächspartner jederzeit erreichbar. Auch Mitarbeiter eines Autohauses sind mal im Urlaub, liegen krank daheim im Bett, sind in einer Besprechung oder draußen vor Ort beim Kunden.

A: *„Poller & Partner, guten Tag."*

B: *„Guten Tag, mein Name ist Herberts, ich hätte gern Ihren Verkaufsleiter, Herrn Glanz, gesprochen."*

A: *„Tut mir leid Herr Herberts, Herr Glanz ist seit gestern im Urlaub und wird erst in drei Wochen wieder zurück sein. Bitte rufen Sie doch dann noch einmal an. "*

Hoffentlich wollte Herr Herberts kein Neufahrzeug erwerben, denn dann hätte er wahrscheinlich nicht die drei Wochen Geduld aufgebracht. Hilfsangebote sollte jeder im Betrieb einem Anrufer unterbreiten, wenn der gewünschte Gesprächspartner zur Zeit nicht verfügbar ist. Was ist zu tun, wenn der „Wunschpartner" telefonisch nicht erreichbar ist?

Prinzipiell haben wir zwei Möglichkeiten: das Rückrufangebot und/oder das Hilfsangebot. Je nach Situation können wir eines von beiden oder beides gleichzeitig anbieten.

Wenn der gewünschte Gesprächspartner *länger abwesend* ist:

„Tut mir leid Herr Herberts, Herr Glanz ist seit gestern im Urlaub und wird erst in drei Wochen wieder zurück sein. Darf ich Sie mit Herrn Mormann verbinden, der vertritt Herr Glanz während seiner Urlaubszeit und wird Ihnen sicher weiterhelfen können. "

Hier wäre es sicherlich sinnlos – aufgrund der langen Abwesenheit –, dem Kunden ein Rückrufangebot zu unterbreiten, darum kommt nur das Hilfsangebot in Form eines alternativen Gesprächspartners in Frage. Sollte das Anliegen des Anrufers Zeit haben bis zur Rückkehr des gewollten Gesprächspartners, so wird er auf ein solches Hilfsangebot zwar dankend mit Ablehnung reagieren, hätte aber den kundenorientierten Eindruck vom Betrieb gewonnen.

Wenn der gewünschte Gesprächspartner *kürzer abwesend* ist:

„Tut mir leid Herr Herberts, Herr Glanz ist heute nicht im Haus. Reicht es Ihnen, wenn Herr Glanz Sie morgen zurückruft oder darf ich Sie mit Herrn Mormann verbinden? "

Wenn Sie das gleiche Aufgabengebiet haben wie der gewünschte Gesprächspartner:

„.... Darf und kann ich Ihnen vielleicht jetzt schon weiterhelfen? "

Rückrufangebote sollten nur dann angeboten werden, wenn sie einhaltbar sind. Falsche Versprechungen verärgern und lassen langfristig unseren Vertrauensvorschuß beim Kunden schwinden.

Natürlich sollte in jedem Betrieb die Frage der Rückrufangebote auch unter Kostengesichtspunkten vorher abgeklärt werden.

Die Rückrufvereinbarung ist eine Frage des sinnvollen Vorgehens und damit der folgenden Verhaltensschritte:

1. Schritt: Begründete Information an den Anrufer, daß und warum der gewünschte Gesprächspartner nicht sprechbar ist. (Vorsicht vor wertenden Aussagen wie „Herr X ist gerade in einer wichtigen Besprechung!" Dadurch könnte der Anrufer sich herabgesetzt vorkommen.)

2. Schritt: Alternativen zwischen Rückruf und einem anderen kompetenten Gesprächspartner bieten.

3. Schritt: Bei Rückrufbejahung: Rückrufzeit vereinbaren (möglichst konkret!), abhängig von der Rückkehr des Mitarbeiters und den Möglichkeiten des Kunden, Telefonnummer erfragen.

4. Schritt: Stichwort erfragen und gleichzeitig den Nutzen für den Kunden aufzeigen, gegebenenfalls weitere Daten erfragen, die sich aus dem „Stichworthinweis" des Kunden ergeben. („Herr Kunde, sind Sie bitte so freundlich und nennen mir ein Stichwort, das ich Herrn X sagen kann, damit er sich auf das Gespräch mit Ihnen vorbereiten kann.")

5. Schritt: Vereinbarung zusammenfassen. („Herr Kunde, wie vereinbart wird Sie Herr Hansen heute nachmittag in der Zeit zwischen 15.00 und 16.00 Uhr zurückrufen. Sie sagten mir, daß es um die Neufahrzeugbestellung geht, darüber werde ich Herrn Hansen sofort nach seiner Rückkehr informieren.")

Nach dem Telefonat ist die „Rückrufangelegenheit" natürlich noch nicht beendet. Jetzt geht es um die sinnvolle Nachbereitung des soeben geführten Telefonates.

Zunächst geht es um die Weiterleitung der Information an den Kollegen oder Vorgesetzten. Die Telefonnotiz sollte unbedingt den Namen des Anrufers, die Erreichbarkeits-Telefonnummer, die Anruf- und die vereinbarte Rückrufzeit und den Hinweis auf die zu besprechende Angelegenheit enthalten. Sinnvoll sind auch Informationen über die „Stimmung" des Anrufers, sofern hier Besonderheiten beobachtet wurden, z.B. „klang sehr aufgeregt", „ist sehr ärgerlich". Diese zusätzlichen Hinweise erleichtern es dem Rückrufer später, sich richtig auf das Gespräch einzustellen. Sie vereinfachen sich Ihre Telefonnotiz, wenn Sie hierbei die im Handel erhältlichen Vordrucke verwenden.

Sie erleichtern es Ihrem Vorgesetzten oder auch dem Kollegen, wenn Sie bereits jetzt die notwendigen Unterlagen heraussuchen und mit der Telefonnotiz bereitlegen. Ob Fahrzeugakte, Kundenkarteikarte oder Rechnungskopie, dadurch kann der Kundenanruf zügiger und damit kundenorientierter ausgeführt werden.

Im Sekretariat ist es durchaus sinnvoll, mit sogenannten Rückruflisten zu arbeiten. Häufige Besprechungen und geschäftlich bedingte Abwesenheiten erzeugen eine Vielzahl von Rückrufen. In diesem Fall sollten Chef und Sekretärin sogenannte Rückrufblöcke vereinbaren, d. h. Zeiten, in denen Rückrufe ausgeführt werden. Das erleichtert einerseits der Sekretärin ihre Telefonate, andererseits hilft es dem Vorgesetzten in seinem Zeitmanagement. Die vereinbarten Rückrufe können dann in eine Rückrufliste eingetragen werden, die die gleichen Positionen wie die Telefonnotiz enthält. Dadurch verkleinern Sie die „Zettelproblematik" auf einem überquellenden Schreibtisch.

Sollten Sie einem Anrufer einen Rückruf des Kollegen oder Vorgesetzten versprochen haben und dieser kann ihn aus irgendeinem Grund nicht bis zum versprochenen Zeitpunkt ausführen, so sollten Sie selbst nochmals zum Hörer greifen und dem Gesprächspartner mitteilen, warum sein „Wunschpartner" bisher noch nicht zurückrufen konnte.

„Tut mir leid, Herr Ahrens, Frau Klemmert ist noch nicht aus der Besprechung zurück. Wären Sie einverstanden, wenn wir für 16.00 Uhr einen Rückruf vereinbaren?"

Ein Wort an all diejenigen, die Rückrufe auszuführen haben: Jede Rückrufvereinbarung verlangt eine spätere Aktivität, nämlich den Rückruf des zuständigen Mitarbeiters. Manche Mitarbeiter empfinden dies als lästig und schieben ihre Rückrufe auf oder „vergessen" sie einfach. Das ist nicht fair! Nicht nur, daß diese Kollegen den Kunden verärgern, nein, sie machen auch denjenigen, der den Rückruf vereinbarte in den Augen des Kunden unglaubwürdig und setzen ihn der Gefahr eines Kundenangriffes aus. Bleiben Sie konsequent und rufen Sie zur vereinbarten Zeit zurück! Vergessen Sie nicht: Als Rückrufer sind Sie in einer guten Position. Sie erleben keine Überraschungen und können sich auf das Telefonat intensiv vorbereiten, können alle notwendigen Fragen vorher klären und während des Telefonates dann die Gesprächsführung selbst in der Hand behalten. Nutzen Sie diese Chance!

2.1.5 „Die wollen immer nur den Chef sprechen!" – Was tun, wenn Anrufer sich nicht mit dem Mitarbeiter zufrieden geben wollen?

Das Problem ist gerade in kleineren Betrieben häufig anzutreffen: Da wollen sich anrufende Kunden nicht mit dem Mitarbeiter zufriedengeben, sondern müssen auch bei Banalitäten unbedingt den Chef sprechen. Da muß der Chef unbedingt zur Frage des Ersatzteilpreises zu Rate gezogen werden oder der Werkstattermin kann nur mit ihm vereinbart werden. „Unverschämte, wichtigtuerische Kunden" denken manche Mitarbeiter in diesen Fällen und vergessen oft, wie es zu diesem Kundenverhalten kommen konnte.

Bedenken Sie: Gerade in den ersten Jahren nach der Betriebsgründung hat der Inhaber durch besonderes Engagement und durch intensiven Kundenkontakt einen Kundenkreis aufgebaut und die Kundenbeziehung durch persönliche Gespräche vertieft. Dann wurde der Betrieb größer und der Unternehmer konnte sich nicht mehr um jeden Kunden kümmern. Mitarbeiter wurden eingestellt, die diese Aufgaben übernehmen sollen. Doch der Kunde hat diese Entwicklung noch nicht mitgemacht, für ihn ist immer noch – wie in den Jahren zuvor – der Inhaber sein Ansprechpartner.

Aus diesem Grund sollten gerade die Chefs dafür sorgen, daß neue Mitarbeiter vom Kunden akzeptiert werden. Mitarbeiter sollten dem Kunden anläßlich eines Besuches im Autohaus persönlich vorgestellt und ihre Kompetenz herausgestellt werden.

„Herr Müller, darf ich Ihnen unseren Kundendienstberater Herrn Herrmann vorstellen. Herr Herrmann wird Sie zukünftig in allen technischen Fragen beraten können. Er ist ein ausgezeichneter Fachmann. Sie werden sehen, daß Sie mit ihm sehr gut auskommen werden."

Was aber ist in der Telefonsitutaion zu tun, wenn diese Vorstellung noch nicht erfolgte? Dies ist in erster Linie eine Sache des Chefs, denn wenn trotz Hilfsangeboten der Kunde den Inhaber sprechen will, bleibt einem Mitarbeiter in der Regel keine andere Wahl, als das Gespräch weiterzuverbinden. Wenn Sie als Chef jetzt merken, daß es sich um ein Anliegen handelt, das in den Aufgabenbereich eines Mitarbeiters fällt, haben Sie zwei Möglichkeiten des Vorgehens.

Die erste besteht darin, das Gespräch mit dem Kunden zu führen und am Schluß des Telefonates freundlich darauf hinzuweisen, daß sich der Kunde beim nächsten Mal bitte an Ihren Mitarbeiter wenden möge.

„Herr Schnelle, wenden Sie sich ruhig beim nächsten Mal an meinen Verkaufsberater Herrn Schröder, der wird Ihnen ganz sicher freundlich und fachkundig helfen."

Der zweite Weg besteht darin, den Kunden direkt wieder mit dem Mitarbeiter zu verbinden, zusammen mit der Bitte, diese Angelegenheit mit dem entsprechenden Fachmann zu klären.

„Herr Joseph, sehr gern würde ich Ihnen einen Werkstattermin geben, aber unser Kundendienstberater Herr Kraus hat diese Aufgabe neuerdings über-

nommen. Er ist der Herr über die Werkstattermine und kann Ihnen viel besser einen entsprechenden Termin geben. Darf ich Sie mit Herrn Kraus verbinden?"

Natürlich sollte jeder Mitarbeiter auch immer versuchen, dem anrufenden Kunden zunächst ein Hilfsangebot zu unterbreiten.

So überreichen Sie jedem Anrufer eine werbewirksame Telefonvisitenkarte Ihres Autohauses:

1. Regel: Meine innere Einstellung zu jedem Anrufer ist positiv. Ein Anruf stellt keine Störung oder Unterbrechung meiner Tätigkeit dar, denn er ist Teil der beruflichen Aufgabe.

2. Regel: Mit einer freundlichen und verständlichen Meldung eröffne ich das Telefonat. Die Nennung des Tagesgrußes, des Firmennamens und des eigenen Namens ist für mich selbstverständlich.

3. Regel: Jeder Anrufer wird erst weiterverbunden, wenn die Zuständigkeiten im Betrieb eindeutig geklärt sind! Weiterverbindungen werden auf ein Minimalmaß beschränkt.

4. Regel: Die maximale Wartezeit eines Anrufers beträgt in unserem Autohaus eine Minute, spätestens nach 20 Sekunden wird der Wartende mit einer Zwischeninformation versorgt.

5. Regel: Rückrufe werden den Anrufern unaufgefordert angeboten und mit System ausgeführt.

6. Regel: Der Anrufer und der künftige Teilnehmer werden vorher darüber informiert, mit wem und weshalb wir sie weiterverbinden.

2.2 „Hoppla, jetzt komm ich!" –
Ausgehende Telefonate richtig führen

Telefonlaien behandeln eingehende und ausgehende Telefonate gleich, sie sehen und machen da keine Unterschiede. Es wird so oder so spontan zum Hörer gegriffen und losgelegt. Telefonprofis sehen das anders, erschrecken zwar nicht vor eingehenden Anrufen, nutzen aber die Chancen und Möglichkeiten eines ausgehenden Gespräches. Beurteilen Sie selbst, ob es sich im folgenden Gespräch um einen anrufenden Profi oder Laien handelt!

A: *„Bertram."*

B: *„Schulze, guten Tag Frau Bertram. Frau Bertram, es geht um den Amalfi 700, den Sie bei mir bestellt haben. Der sollte ja – wie versprochen – diese Woche kommen. Nun, ich erhielt gerade einen Anruf vom Werk, in dem man mir mitteilte, daß es mit dem zugesagten Liefertermin nicht klappt. Tut mir wirklich leid für Sie."*

A: *„Sie wollten sicher meine Mutter sprechen, aber die ist jetzt leider nicht da."*

B: *„Ja, aber ... Sie sind nicht Frau Betram ... ich dachte ... also .. wegen der Stimme ..."*

A: *„Nee, bin ich nicht. Ich bin die Tochter, man verwechselt uns öfter mal."*

B: *„Na ja, ist ja auch nicht so schlimm. Kannst Du das mit dem Auto Deiner Mutter ausrichten, bitte. Wenn sie noch Fragen hat, soll sie mich einfach anrufen. Meine Nummer hat sie. Schulze ist mein Name. Danke und auf Wiederhören."*

A: *„Ich werd's ihr ausrichten. Auf Wiederhören."*

Natürlich haben Sie längst erkannt, daß es sich beim angerufenen Autohausmitarbeiter nicht um einen Telefonprofi handelte. Der Profi hätte das Gespräch anders geführt. Aktive Telefonate gehören zum Berufsalltag. Wer sie führt, sollte sich ihrer Besonderheit bewußt sein und ihre Vorteile nutzen.

2.2.1 „Was mach ich nur, wenn ..." –
Wie man ausgehende Telefonate vorbereitet

Wohl dem, der die Nachteile der telefonischen Kommunikation zu seinen Vorteilen macht. Ausgehende Telefonate können vorbereitet werden! Da kann und muß sich der Anrufer vorher überlegen, was er dem Angerufenen wie mitteilen

möchte. Der spontane Griff zum Hörer ohne Vorüberlegungen zeichnet nicht den erfolgreichen Telefonmanager aus. Fragen Sie sich deshalb selbst vorher:

1. Frage: Wer ist mein Gesprächspartner und was weiß ich bereits von ihm? (Erfahrungen mit ihm, Besonderheiten, Eigenarten, Empfindlichkeiten, Vorgeschichte, „Macken" ...)

2. Frage: Was ist der Grund meines Anrufs und welches Ziel verfolge ich? (Gesprächsanlaß, Ziele und Teilziele, die erreicht werden sollen.)

3. Frage: Welchen Nutzen kann ich meinem Gesprächspartner bieten? Welche Argumente kann ich ihm nennen?

4. Frage: Wie erkläre ich meinem Telefonpartner mein Anliegen? Welche Informationen hat er, welche Informationen benötigt er noch?

5. Frage: Welche Fragen oder Einwände könnte mein Telefonpartner haben? Wie beantworte ich diese?

6. Frage: Wie führe ich den Gesprächsabschluß herbei?

7. Frage: Was mache ich, wenn mein Gesprächspartner jetzt nicht zu sprechen ist?

Diese Fragen sollten Sie sich als Anrufer unbedingt vor einem Telefonat gestellt und beantwortet haben, um zügig und reibungslos Ihr angestrebtes Ziel zu erreichen. Sie mögen einwenden, daß Ihnen im Berufsalltag nicht die Zeit zur Verfügung steht, um dies zu tun. Auf den ersten Blick verständlich, doch dieser Einwand erinnert an die Geschichte vom sägenden Waldarbeiter, der schwitzend und keuchend mit stumpfer Säge sich abmüht, einen dicken Stamm zu durchtrennen. Als ein Spaziergänger den geplagten Mann sieht und ihn fragt, warum er sich so abmühen würde, die Säge sei doch ganz stumpf und müsse erst geschliffen werden, antwortet dieser: „Ich weiß, die Säge müßte geschärft werden. Ich hab' aber keine Zeit dazu, denn ich muß hier bis heute abend diesen Stamm gefällt haben!" Paradox, nicht wahr! Doch dieses Paradoxon entsteht auch, wenn wir sagen, wir hätten in unserem täglichen Job keine Zeit zur Gesprächsvorbereitung. Bedenken Sie: Unvorbereitete Gespräche kosten durch fehlende Zielstrebigkeit mehr Zeit und erzeugen eher Mißverständnisse. Die Investition zur Behebung von Pannen ist größer als die zur Vorbereitung des Telefonates. Darum bereiten Telefonprofis ihre Telefonate vor.

Bildtelefone sind noch weitgehend „Zukunftsmusik". Beim jetzigen Stand der Telefontechnik können wir uns die Nicht-Sichtbarkeit zunutze machen. Welcher Telefonpartner bemerkt es schon, wenn Sie Ihre schriftliche Vorbereitung bei der Gesprächsführung zu Hilfe nehmen? Wer registriert es, wenn Sie bei einem Akquisitionstelefonat Ihre Einstiegsformulierung flüssig und gekonnt „vom Blatt lesen"? Wer könnte es Ihnen ankreiden, wenn Sie Ihre vorformulierten Fragen und Stichpunkte Ihrer Arbeitsnotiz entnehmen? Niemand wird es bemerken oder es Ihnen gar übelnehmen, wenn Sie es tun, vielmehr zeichnet es Sie als Telefonprofi aus.

Natürlich bedeutet eine schriftliche Vorbereitung nicht, daß wir zum Sklaven unserer Arbeitsunterlage werden, daß wir nicht links und rechts des Weges schauen und nicht auch auf „unvorbereitete" Fragen oder Themen spontan und doch sinnvoll reagieren können.

Die schriftliche Vorbereitung eines Telefonates kann in verschiedenen Formen geschehen. Die einfachste Form und den meisten bekannt ist das Notieren von einigen wichtigen Daten oder Fakten vor dem Telefonat. Sicher ist das nichts Besonderes, es ist nicht mehr als eine Gedächtnisstütze, die nichts über den geplanten Verlauf eines Gespräches aussagt. Wer professioneller vorgeht, erarbeitet sich zu den verschiedenen Gesprächsanlässen seine Arbeitsbereiches eigene Gesprächsleitfäden oder, noch einfacher, er verwendet die in diesem Buch dargestellten. Ein solcher Gesprächsleitfaden beinhaltet einen Überblick über das geplante Vorgehen in einem Telefonat. Er ist so etwas wie ein Ablaufplan, der das Gespräch systematisiert.

Gesprächsleitfäden erleichtern die Vorbereitung und Gesprächsführung eines Telefonates, da sie die wichtigsten allgemeinen und damit beachtenswerten Punkte für das Gespräch aufführen und somit nur noch eine individuelle Vorbereitung des Gespräches notwendig wird.

Die hohe Schule der Gesprächsvorbereitung ist das sogenannte Telefonskript. Hier wird wortwörtlich das festgelegt, was in einem Gespräch gesagt werden soll, z. B. welche Einstiegsformulierungen verwendet werden oder was auf einen Einwand geantwortet werden soll. Telefonskripte finden in erster Linie in Telefon-Marketingagenturen Anwendung und sollen dort eine einheitliche Gesprächsführung aller Mitarbeiter gewährleisten. Die Entwicklung eines solchen Skriptes ist besonders zeit- und kostenintensiv, es muß erprobt und überarbeitet werden, bis die endgültige anwendbare Form vorliegt. Im Autohaus wird es selten notwendig sein, ein umfangreiches Telefonskript zu erstellen.

Dennoch kann auch in einem Autohaus – zumindest in Teilbereichen – die Technik eines Telefonskriptes genutzt werden: Einstiegsformulierungen, Meldungen oder Antworten auf immer wiederkehrende Fragen oder Einwände können hier vorformuliert werden und man muß dann nicht in der konkreten Situation spontan einen Weg finden. Hier kann Ihnen ein Skript unnötige Denkarbeit abnehmen, denn warum sollten Sie das Rad immer wieder neu erfinden?

2.2.2 „Hier bin ich, wer ist dort?" –
Ausgehende Gespräche sinnvoll beginnen

2.2.2.1 Die Meldung

Wer im Autohaus zum Hörer greift, um seine Kunden daheim anzurufen, darf sich nicht wundern, wenn ihm heutzutage immer häufiger nur ein monotones „Hallo" oder „Ja bitte!" entgegengehaucht wird. Amerika läßt grüßen, denn die entpersonifizierte „Hallo"-Meldung hat in den letzten Jahren auch in unserem Land immer mehr Anhänger gefunden. Vorbei sind die Zeiten, in denen man sich brav mit Müller, Meier oder Schulze am Telefon meldete. Und selbst diejenigen, die tagsüber in ihrem Büro die korrekte Namensmeldung praktizieren, lassen sich daheim an ihrem eigenen Telefonanschluß nur ein knappes „Hallo" entlocken. Die Zeiten haben sich geändert! Zum Teil verständlich, denn mit zunehmender Telefondichte in unserem Land gedieh auch der „Telefonterror" und fand immer mehr Anhänger. Manch ein Angerufener versucht sich da heute durch eine anonyme Meldung am heimischen Telefon zu schützen. Das alles nach dem Motto: „Soll der Anrufer erst mal sagen, wer er ist und was er will, dann sag' ich ihm auch, wer ich bin!"

Viele telefonierende Autohausmitarbeiter ärgern sich bei ihren Kundenanrufen über diese Meldungen. Da heißt es oft: „Wenn der Kunde in unserem Betrieb anruft, sagen wir doch auch nicht nur ‚Ja bitte!'" Verständlich, dieser Einwand, doch falsch! Unsere Kunden rufen in einem Dienstleistungsbetrieb an, von dem sie eine vollständige Telefonmeldung erwarten können. Wir rufen zumeist in Privathaushalten an und stoßen damit in die Privatsphäre des einzelnen. Diese Privatsphäre kann jeder schützen, womit und wie er es will. Telefonprofis sehen und akzeptieren das und stellen ihr Verhalten darauf ein.

Jeder Anruf bei Kunden oder Interessenten muß daher im Gesprächseinstieg auf seiten des Anrufers die folgenden Elemente enthalten:

1. Element: Die Meldung und Namensnennung.

2. Element: Die Feststellung des gewünschten Gesprächspartners.

3. Element: Die Sicherung der Gesprächsbereitschaft.

59

Wer angerufen wird, wird durch das Telefon in irgendeiner Tätigkeit unterbrochen. Wer von uns weiß schon, ob er mit seinem Anruf den Privatmann aus der Badewanne, aus dem Bett oder vom Mittagstisch holt? Telefonate sind Überraschungen, die erfreuen oder verärgern können. Auch wenn wir mit dem von uns ausgelösten Telefonläuten im Haushalt des Kunden kein Familiendrama auslösen, so wird unsere „Störung" jedoch mindestens eine „Gedankenumlenkung" des Angerufenen erforderlich machen. Gedanken fließen nicht bei jedem so schnell und wer sein Anliegen und seinen Namen dem Langsamdenkenden sofort entgegenschleudert (siehe Eingangsbeispiel), muß sich über spätere Gesprächskomplikationen nicht wundern. Haben Sie es auch schon erlebt, daß der Angerufene Sie nach einiger Gesprächszeit bat, Ihren Namen oder Ihr Anliegen nochmals zu wiederholen? Oder wurden Sie auch schon unter Mitleidsbekundungen davon unterrichtet, daß Sie dem falschen Gesprächspartner Ihr kompliziertes Anliegen mit der wohlüberdachten Formulierung schilderten? Wenn ja, dann haben Sie leider nicht professionell telefoniert.

Beginnen Sie auch Ihre ausgehenden Telefonate mit einer kundenorientierten Meldung, die wiederum Ihren Namen, den Firmennamen und den Tagesgruß enthält. Doch beim aktiven Telefonat kommt es besonders auf die Reihenfolge der Meldungselemente an!

„Schulz vom Autohaus Meier. Guten Tag Herr Blohm!"

Das klingt zwar gut, doch ob der Name des Anrufers nicht vergessen wird? Beginnen Sie mit dem, was der Kunde kennt und was somit keine besondere Konzentration erfordert und dennoch seine Aufmerksamkeit erregt: der Tagesgruß und die Namensansprache.

„Guten Tag Herr Blohm!"

Wenn Sie mit dem Gesprächspartner häufiger im Kontakt stehen, Sie also gut miteinander bekannt sind und Ihr Name Ihrem Kunden geläufig ist, können Sie jetzt Ihren Namen und Ihre Firma nennen:

„Guten Tag Herr Blohm, Schulz vom Autohaus Meyer."

Anders verhält es sich, wenn Ihr Gesprächspartner Ihnen unbekannt ist oder Sie erst wenig Kontakt miteinander hatten. Dann empfiehlt sich die folgende Meldung:

„Guten Tag Herr Blohm, mein Name ist Schulz vom Autohaus Meyer."

Durch die „Mein Name ist ..."-Formulierung bereiten Sie auf Ihren Namen vor, erzeugen eine gewisse Spannung bzw. eine erhöhte Aufmerksamkeit und verbessern damit auch die Verständlichkeit Ihres Namens. Insbesondere, wenn Sie einen kurzen oder gar einsilbigen Namen tragen, ist dies zu empfehlen. Oder auch in Fällen, in denen Ihr Name nicht als Name, sondern irgendwie anders aufgefaßt werden kann, ist dies unumgänglich. Wenn beispielsweise Frau Ostern anruft, könnte das zu Verwechslungen oder Mißverständnissen führen („Guten Tag Herr Müller, Ostern.").

Wenn Sie darüber hinaus noch mehr für Ihre Namensverständlichkeit tun wollen, dann handeln Sie nach folgendem Meldungsmuster:

> *„Guten Tag Herr Blohm, mein Name ist Schulz, Peter Schulz vom Autohaus Meyer."*

Hier wird der eigene Name zweimal genannt und somit beim Angerufenen besser eingeprägt. Da eine einfache Wiederholung des eigenen Namens seltsam klingen würde („ ... mein Name ist Schulz, Schulz!"), hilft man sich hierbei mit der Einfügung des Vornamens. Zusätzlich erzeugen Sie bei Ihrem Telefonpartner dadurch einen „Sympathieschub".

Probieren Sie die empfohlene Meldung im „stillen Kämmerlein" so lange, bis sie Ihnen reibungslos über die Zunge geht. Sie werden dann in der Praxis sehr schnell die Positivwirkung verspüren.

Also, nochmals zur Vertiefung: Melden Sie sich erst mit dem Tagesgruß, dann Namensansprache, danach gegebenenfalls „mein Name ist", jetzt den eigenen Nachnamen nennen und mit vorangestelltem Vornamen wiederholen und zum guten Schluß das Autohaus nennen. So wird ein „Schuh" draus!

2.2.2.2 Die Feststellung der Identität des Angerufenen

In vielen Fällen müssen wir uns von der Identität des Angerufenen überzeugen. Wer ein „Hallo" vom Telefonpartner erfährt, weiß nicht ob er wirklich im Haushalt der Schulzes gelandet ist. Und wer ein kurzes „Schulze" vernimmt, kann immer noch den „falschen Schulze" am Apparat haben. Da es weder zweckmäßig ist, mit dem zehnjährigen Sohn der Familie die Auftragserweiterung zu besprechen, noch besonders erfolgversprechend, die Urgroßmutter des Hauses zur Probefahrt mit dem neuen Sportwagen einzuladen, werden wir oftmals nicht drum herumkommen, uns von der Identität des Meldenden zu überzeugen.

> *„Spreche ich mit Herrn Peter Blohm?"*

Diese Kontrollfrage sollten Sie nach Ihrer Meldung einsetzen, denn erst wenn Sie sich als Anrufer zu erkennen gegeben haben, können Sie auch erwarten, daß der Telefonpartner seine Identität preisgibt. Und auch wenn Ihr „Wunschpartner" nicht am Telefon ist, war Ihre ausführliche Meldung nicht vergebens, denn der andere weiß nun, wen er weiterverbinden kann.

2.2.2.3 Die Sicherung der Gesprächsbereitschaft

Oftmals ist es durchaus sinnvoll und kundenorientiert, wenn wir uns zusätzlich der Gesprächsbereitschaft des Angerufenen versichern. Insbesondere dann, wenn das Telefonat zeitintensiver zu werden scheint oder wenn Sie in den ersten Gesprächsmomenten den Eindruck gewinnen, daß Ihr Anruf zur „Unzeit" kommt. Doch Vorsicht, wer sich mit zuviel Höflichkeit eine Abfuhr einhandelt, kann gerade bei eiligen Angelegenheiten (z. B. Auftragserweiterung) später an anderer Stelle Schwierigkeiten bekommen. Aus diesem Grund ist es dann sinnvoll, zwar die Höflichkeit zu wahren, aber das Gespräch aufrecht zu halten.

„Ich hoffe, ich hab' Sie jetzt nicht vom Mittagstisch geholt."

„Hoffentlich kommt mein Anruf nicht ungelegen."

Solche Formulierungen zeigen Ihre Feinfühligkeit und führen gleichzeitig in den meisten Fällen zu einem gönnerhaften „Nein, nein, ist schon in Ordnung." Wichtig ist: Sie haben dem Angerufenen das Gespräch nicht aufgezwungen, sondern er hat sich freiwillig darauf eingelassen. So können auch keine Unmutsgefühle die Gesprächsatmosphäre zerstören und den Gesprächserfolg beeinträchtigen.

2.2.3 „Hier spricht der elektronische Mitarbeiter ..." – Anrufbeantworter, „Vorzimmerbarrieren" und andere Telefonhürden

Aktive Telefonate sind nicht immer unproblematisch. Oftmals stellen sich uns Telefonhürden in den Weg, die es zu bewältigen gilt: Ständige Wählversuche aufgrund besetzter Anschlüsse oder abwesender Anschlußinhaber, Sekretärinnen, die die „Telefontür" zu ihrem Vorgesetzten verschlossen halten, ahnungslose Familienangehörige oder das seltsame Meldegeräusch eines Telefaxanschlusses. Und wer hat nicht schon mit Schrecken vernommen, daß sich anstelle des gewünschten Gesprächspartners nur die monotone Stimmkonserve vom Band des Anrufbeantworters meldete.

A: *„Hier spricht der automatische Anrufbeantworter von Klaus Schürholz, fünfundachtzig zwölf dreiundvierzig in Wollberg. Bitte legen Sie nicht auf! Ich bin zur Zeit nicht zu Hause. Sie können mir jedoch eine Nachricht auf Band* *hinterlassen. Nennen Sie bitte Datum und Uhrzeit und sprechen Sie nach dem Pfeifton ... Pieps."*

B: „*... äh ... heute ist ... Moment ... ja, der Dreizehnte und wir haben es jetzt ... zehn Uhr neunundzwanzig. Tag Herr Schürholz. Es geht um den neuen Platin Z, für den Sie sich interessieren. Am besten Sie rufen mich mal gelegentlich an. Die Nummer haben Sie ja. Ach ja, hier ist Klapproth. Bis dann und auf Wiederhören."*

Eine bleibende Erinnerung für Herrn Schürholz, der diesen Anruf in sein Archiv der ungeschicktesten Anrufbeantworterreaktionen aufnehmen kann. Und der Verkäufer Klapproth dachte sicher auch nachher: „Hätte ich mal lieber gleich wieder aufgelegt."

2.2.3.1 Der Umgang mit Anrufbeantwortern

Anrufbeantworter begegnen uns täglich: Nicht nur im geschäftlichen Bereich, sondern immer stärker auch in den Privathaushalten treffen wir auf den elektronischen Mitarbeiter und stehen dann vor einer nicht erwarteten Telefonhürde. Natürlich sind diese Geräte durchaus nützlich für den Angerufenen und den Anrufer, jedoch nur, wenn die Anrufer eine aussagekräftige Nachricht auf dem Band hinterlassen. Jeder Besitzer eines solchen Aufzeichnungsgerätes verzweifelt, wenn er nach seiner Rückkehr nur das „klack-pieps-klack"-Geräusch vernehmen kann, das ihm eine Reihe von Anrufern signalisiert, die allesamt wieder auflegten.

Als Anrufer können uns die Geräte in zwei Varianten begegnen: als Ansagetext mit und ohne Aufzeichnung. Im ersten Fall erhalten wir eine Information über die Nicht-Erreichbarkeit des Anschlußinhabers. Im zweiten Fall haben wir zusätzlich die Möglichkeit eine Nachricht zu hinterlassen. Viele Anrufer erschrecken vor solchen Aufzeichnungsgeräten oder haben gar eine Abneigung gegen sie. In unserem hochtechnisierten Zeitalter sollte beides jedoch der Vergangenheit angehören.

Rechnen Sie also immer mit solchen „Begegnungen" und seien Sie darauf vorbereitet. Zumeist ist es die fehlende Vorbereitung auf ein Telefonat, die uns bei einer Begegnung mit einem Anrufbeantworter vorschnell aufgeben läßt. Wer sich jedoch auf ein Gespräch vorbereitet (siehe Kapitel 2.2.1) und sich vorher überlegt hat, wie er was seinem Gesprächspartner mitzuteilen wünscht, wird auch in der Lage sein, eine kurze und aussagekräftige Nachricht auf Band zu sprechen. Sollten Sie trotz Gesprächsvorbereitung dennoch unsicher sein, so legen Sie lieber zunächst auf und rufen dann nochmals an, um Ihre Nachricht auf Band zu sprechen. Unsere beim Kunden konservierte Information ist wiederum Teil unserer telefonischen Visitenkarte. Und gestammelte, unvollständige Texte ohne klare Aussagen haben die gleiche Werbewirkung wie Visitenkarten mit „Eselsohren" oder Fettflecken.

Gehen Sie bei Ihrer Reaktion auf einen Anrufbeantworter nach folgendem Schema vor:

1. Schritt: Tagesgruß, Namensansprache, Namen und Firmennennung.

2. Schritt: Nennung des Datums und der Anrufzeit.

3. Schritt: Kurze Beschreibung des Anliegens.

4. Schritt: Bitte um Rückruf bis Zeitpunkt, bzw. Ankündigung eines weiteren Anrufs.

5. Schritt: Nennung der Telefonnummer und der Erreichbarkeitszeit.

6. Schritt: Dank und Verabschiedung.

A: *„Hier spricht der automatische Anrufbeantworter von Klaus Schürholz, fünfundachtzig zwölf dreiundvierzig in Wollberg. Bitte legen Sie nicht auf! Ich bin zur Zeit nicht zu Hause. Sie können mir jedoch eine Nachricht auf Band hinterlassen. Nennen Sie bitte Datum und Uhrzeit und sprechen Sie nach dem Pfeifton ... Pieps. "*

B: *„Guten Tag Herr Schürholz. Hier spricht Klapproth, Jens Klapproth vom Autohaus Süd. Heute ist der 13. August, 10.30 Uhr. Herr Schürholz, wir sprachen vor einigen Tagen über den neuen Platin Z und Sie äußerten den Wunsch einer Probefahrt, sobald uns das Fahrzeug zur Verfügung steht. Mittlerweile ist das erste Vorführfahrzeug eingetroffen und ich möchte Sie hiermit herzlich zu einer Fahrt einladen. Rufen Sie mich doch bitte zur Vereinbarung eines Termins unter der Rufnummer einunddreißig zwölf fünfundvierzig an. Ich bin heute bis 15.00 Uhr unter dieser Nummer erreichbar. Ansonsten morgen früh ab 8.30 Uhr. Parallel dazu werde ich Sie heute am späten Nachmittag nochmals zu erreichen versuchen. Herzlichen Dank und auf Wiederhören. "*

Übrigens: Nicht in jedem Fall ist es ratsam, eine Nachricht auf dem Band des Angerufenen zu hinterlassen. In Akquisitionstelefonaten beispielsweise hätte der Kunde die Möglichkeit, eine Negativeinstellung gegen unseren späteren Anruf zu entwickeln.

2.2.3.2   Was tun, wenn der Kunde nicht erreichbar ist?

Eine weitere Telefonhürde, die uns des öfteren begegnet, ist die Nichterreichbarkeit des Gesprächspartners. Immer dann, wenn eine kurzfristige Entscheidung notwendig ist, kann dies zu Schwierigkeiten führen. Je klarer und eindeutiger Sie mit dem Kunden diesen Fall vorher besprechen, desto weniger Probleme werden entstehen. Oftmals können solche Eventualschwierigkeiten ausgeschlossen werden, wenn Sie nach der telefonischen Erreichbarkeit des Kunden vorher fragen oder, sollte diese nicht gegeben sein, einen Anruf seinerseits zu einem festgelegten Zeitpunkt vereinbaren (z. B. im Kundendienst bei Auftragsannahme).

Gerade bei Stammkunden können Sie die persönliche Bekanntheit nutzen und seine besten Erreichbarkeitszeiten erfragen und in Ihrer Kartei notieren. Fragen Sie auch in einem solchen „Telefon-Grundsatzgespräch" danach, wer welche Entscheidungen im Zusammenhang mit dem Fahrzeug treffen darf, z. B. Ehepartner oder Mitarbeiter.

Wenn Ihnen unbekannte Familienangehörige bei der telefonischen Nichterreichbarkeit des gewünschten Gesprächspartners begegnen, verfahren Sie ähnlich wie bei Ihrem Anrufbeantwortertext. Natürlich sollten Sie deshalb Ihren momentanen Telefonpartner nicht unpersönlich behandeln. Nennen Sie kurz Ihr Anliegen, fragen Sie nach dem Zeitpunkt der Erreichbarkeit und kündigen Sie einen weiteren Anruf zu diesem Zeitpunkt an.

Auf keinen Fall sollten Sie Ihren Telefonpartner – ob Mitarbeiter oder Familienangehörigen – als unwichtigen Gesprächspartner behandeln. Auch Söhne, Töchter, Ehefrauen oder Ehemänner, Sekretärinnen und Mitarbeiter haben sehr häufig eine nicht zu unterschätzende Beeinflussungsfunktion auf unseren Kunden. Der Kunde, der von seiner Tochter hört: „Da hat jemand vom Autohaus angerufen, tat sehr geheimnisvoll und hat mich behandelt, als sei ich hier die Putzfrau", wird dieses Negativurteil während eines späteren Gespräches mit Ihnen im Hinterkopf behalten und nach Bestätigung dieses Eindrucks suchen.

2.2.3.3   Wenn Sekretärinnen den telefonischen Zugang blockieren

Gerade bei Firmenkunden begegnet uns häufig die Telefonhürde in Form einer „Vorzimmerbarriere". Sekretärinnen haben die Aufgabe, ihren Vorgesetzten vor unliebsamen oder unnötigen Anrufen zu schützen bzw. die Telefonate für ihn zu führen. Diese Filter- und Entlastungsfunktion der Mitarbeiter des Kunden gilt es zu akzeptieren und zu berücksichtigen. Keinesfalls dürfen wir versuchen, bei unseren aktiven Telefonaten diese Mitarbeiter zu übergehen oder gar abzuwerten. So manche Geschäftsbeziehung ist schon an solchem Fehlverhalten geschei-

65

tert. Behandeln Sie die Sekretärin freundlich und zuvorkommend, praktizieren Sie auch hier eine häufige Namensansprache. Schildern Sie kurz und klar Ihr Anliegen und bitten Sie um Weiterverbindung. Bei Gesprächsunwilligkeit oder Nichterreichbarkeit des gewünschten Gesprächspartners fragen Sie nach der besten Anrufzeit und vereinbaren Sie – sofern es sich nicht um eine schnell herbeizuführende Entscheidung handelt – einen festen Telefontermin. In anderen Fällen sollten Sie den Mitarbeiter um Unterstützung bitten oder durch eine entsprechende Frage ihm die Initiative übergeben.

„Was meinen Sie, Frau Mertens, wie könnten wir am besten verfahren?"

„Frau Mertens, ich möchte Herrn Dr. Claus natürlich nicht enttäuschen und den vereinbarten Abholungstermin einhalten. Leider liegt uns jetzt die Vollmacht von Herrn Dr. Claus für das Straßenverkehrsamt nicht vor und Sie wissen, ohne diese Vollmacht können wir das Fahrzeug nicht anmelden. Welche Möglichkeiten sehen Sie, Frau Mertens, um hier eine Lösung herbeizuführen?"

Darauf kann dann die mögliche Antwort lauten:

„Kleinen Moment, ich glaub' in diesem Fall darf ich Herrn Dr. Claus sicher in der Besprechung stören. Warten Sie bitte einen Moment, ich frag' einmal nach."

Nehmen Sie die Ihnen begegnenden „Vorzimmerbarrieren" mit ins Boot, indem Sie das Problem schildern. Jeder Mitarbeiter hat bestimmte Anweisungen für „Störungsnotfälle". Jedoch kann er nur dann eine Entscheidung treffen, wenn er den Umfang und die Dringlichkeit Ihres Anliegens versteht. Aus diesem Grund haben Sie als Anrufer die Informationspflicht! Nutzen Sie diese Chance und verlagern Sie die Verantwortung auf die Sekretärin, in dem Sie deren Entscheidungskompetenz ansprechen.

3. „Der kurze Weg zum Kunden" – Telefoneinsatz im Kundendienst und Teileverkauf

Eine große Zahl von Kraftfahrzeugbetrieben in unserem Land kämpft im Kundendienst und Teileverkauf um den „König Kunden". Wer den täglichen Kampf um die Marktanteile gewinnt, das bestimmt der „König" selbst. Zufriedenheit ist es, die ihn wieder in die Werkstatt oder zum Teileverkauf führt. Nur auf der Zufriedenheitsbasis werden heute und morgen die Geschäfte gemacht. Das Telefon spielt hierbei eine wesentliche Rolle: Die Kundenorientierung und -betreuung des Autohauses kann mit diesem Kommunikationsinstrument unter Beweis gestellt und intensiviert werden. Kunden, die eine ruppige Terminvereinbarung, eine Auftragserweiterung nach „Schema F" oder die pampige „Was sollen wir uns denn noch alles auf Lager legen"-Antwort erfahren und für die eine telefonische Zufriedenheitsnachfrage ein Fremdwort ist, das sind Kunden, die bald beim Wettbewerb „landen" und dort die Kundenorientierung auch telefonisch erfahren. Die telefonische Visitenkarte des Autohauses hört nicht vor der Werkstatt- oder Lagertür auf!

In Kundendienst und Teileverkauf finden sich eine Reihe von Gesprächsanlässen, die mit besonderem Bedacht und der richtigen Gesprächstechnik professionell zu führen sind. Ob aktive oder passive Gespräche, ob Telefonate mit Kunden oder Interessenten, hier geht es oft „um die Wurst".

	Kunden	Nicht-Kunden
PASSIV	● Preis- und Lieferanfragen (Kapitel 3.1) ● Terminvereinbarungen (Kapitel 3.2) ● Reklamationen (Kapitel 3.5)	● Preis- und Lieferanfragen (Kapitel 3.1) ● Terminvereinbarungen (Kapitel 3.2)
AKTIV	● Auftragserweiterungen (Kapitel 3.3) ● Zufriedenheitsnachfragen (Kapitel 3.4)	

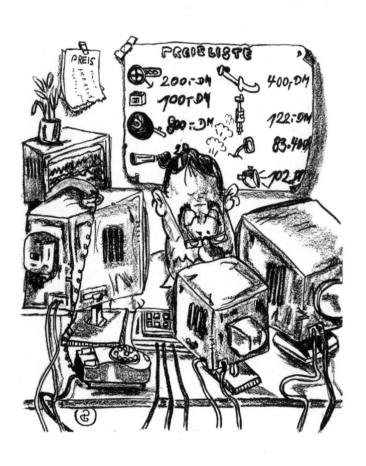

3.1 „Ich wollte mal fragen, was das bei Ihnen kostet." – Preis- und Lieferanfragen im Kundendienst und Teileverkauf

Verbraucher sind heute kritischer und aufgeklärter denn je. Bevor man kauft, informiert man sich. Verständlich, denn je größer der Wettbewerb und damit die Auswahl, desto schwieriger die Entscheidung. „König Kunde" hat heute die „Qual der Wahl". Hieraus entstehen Unsicherheiten, die es durch frühzeitige und umfangreiche Information zu vermeiden bzw. zu reduzieren gilt. Welcher Kunde möchte schon morgen entdecken, daß er heute zuviel für die Reparatur oder das Zubehör bezahlt hat? Solche unliebsamen Erlebnisse will man vermeiden und darum informiert man sich vorher. Nichts leichter als das im Zeitalter der schnellen Kommunikation: Zum Hörer greifen, Rufnummer wählen und schon steht die Verbindung.

A: *„Schulze und Sohn."*

B: *„Hoffmann, guten Tag. Ich wollte mich mal erkundigen, was eine Auspuffanlage für meinen Star bei Ihnen kostet."*

A: *„Kleinen Moment, da muß ich Sie mit dem Lager verbinden."*

B: *„Okay, ich warte."*

A: *„Krommbach."*

B: *„Hoffmann, guten Tag. Was kostet bei Ihnen eine Auspuffanlage für meinen Star?"*

A: *„Baujahr?"*

B: *„Den hab' ich vor vier Jahren bei Ihnen gekauft."*

A: *„Typ?"*

B: *„Wie ... was meinen Sie damit?"*

A: *„Was ich damit meine, ist doch ganz klar. Ist das ein Star XZ oder ein XXZ?"*

B: *„Ach so, jetzt versteh' ich. Einen XXZ fahre ich."*

A: *„Moment!" (Zwei Minuten vergehen)*

A: *„Hören Sie? Komplett kostet die Anlage Achthundertunddreiunvierzig plus Steuer."*

B: *„Pah, das ist aber happig!"*

A: „Billiger geht's nun mal nicht."

B: „Ja, danke. Ich überleg's mir nochmal."

A: „Bitte. Auf Wiederhören!"

Jeder Landwirt muß erst pflügen, dann säen, wässern und das Feld weiter bestellen, sonst wird das nichts mit der Ernte im nächsten Jahr. Wer bei Anfragen im Autohaus einmal die „Ernte einfahren" möchte, muß auch mehr tun, als den Samen auf einen steinigen Acker zu schmeißen und dann dem Feld den Rücken zu kehren!

So war es in diesem Gespräch: Herr Krommbach nannte den Preis ohne Argumente, schluckte den vom Kunden genannten Preiseinwand und wischte ihn mit einer lapidaren Antwort vom Tisch. Ganz abgesehen von der schroffen Fragerei zu Beginn des Gespräches, die an ein Verhör erinnert.

3.1.1 „Mitarbeiter, höre die Signale" – Die Chance der telefonischen Preisanfrage

Engagierte Mitarbeiter wissen, was Werbung heute kostet. Da wird viel Geld in den Autohäusern ausgegeben, um für die Produkte und Dienstleistungen zu werben. Sträflich handelt, wer die durch diese Werbung ins Autohaus und Werkstatt „gelockten" Interessenten als lästige Zeitfresser ansieht und ihre Anfragen routinemäßig ohne besonderes Engagement abwickelt. So können Umsätze nicht vergrößert und neue Kunden nicht hinzugewonnen werden. Preis- oder Lieferanfragen sind Verkaufschancen, die genutzt werden müssen. Nur wer aktiv diese Gespräche führt, macht Anrufer zu Kunden und sich selbst zum professionellen Verkäufer.

Ein Anrufer, der nach einem Preis oder einer Lieferzeit fragt, signalisiert Interesse an uns und an unserem Leistungsangebot. Sein Anruf zeigt: „Schaut her, hier ist jemand, der bei euch Kunde werden könnte, wenn ..." Ja, wenn wir ihm das bieten, was er sucht: Ein Produkt oder eine Dienstleistung, die seinen Vorstellungen in Ausführung und Preis entspricht und bei der natürlich auch Termin und Servicebereitschaft stimmen. Das Telefon verschafft dem Anfragenden dabei Vorteile: Er kann in kurzer Zeit viel erfahren und bleibt dennoch in der Anonymität, die ihn davor bewahrt, verkäuferisch „gefangengenommen" zu werden.

3.1.1.1 Die Besonderheit der Anfragen im Teileverkauf

Der Wettbewerb im Teileverkauf, gerade auf dem Gebiet der Verschleißteile, oder im Zubehörmarkt ist groß: Großhändler, „Spezialwerkstätten", Tankstellen,

Handelsketten und Kaufhäuser tummeln sich hier und wollen den Kunden für sich gewinnen. Darum ist es gerade in diesem Marktsegment wichtig, den anfragenden Interessenten durch eine aktive verkäuferische Gesprächsführung für den Betrieb zu gewinnen.

Und auch die Palette der Anrufer ist vielfarbig: Da ruft der Bastler an, der die Reparatur selbst ausführen will, da ist die freie Werkstatt, die auch Fahrzeuge unseres Typs repariert und da ist natürlich auch der potentielle Werkstattkunde, der sich im Teileverkauf vorinformieren will. Profis und Laien sind es, auf die es sich gleichermaßen einzustellen gilt und die nicht über einen „Kamm geschoren" werden dürfen.

Fakt ist: Nur auf der Basis einer umfassenden und richtigen Information über das Anliegen des Kunden kann ihm kompetent Auskunft gegeben werden. Profianrufer wissen das, Laien fehlt dafür zumeist jedes Verständnis. Das schafft Probleme und bei so manchem Anrufer den Eindruck des Ausgefragtseins. Unmut macht sich breit und nicht jeder nimmt es so lustig, wie die Kundin, die dem Teileverkäufer auf seine vierte Frage antwortete: „Mein Fahrzeug ist Baujahr 1988 und außerdem, falls Sie diese Informationen auch noch benötigen, bin ich 42 Jahre alt, römisch-katholisch, verwitwet und wohne im dritten Stock." (Übrigens keine Erfindung, sondern von einem Seminarteilnehmer als Begebenheit berichtet.) Fragen müssen also hier im Teileverkauf mit besonderem Gesprächsführungsgeschick gestellt werden.

Und dann ist da noch der Faktor Wartezeit: Die Vielfältigkeit der Produkte und die dadurch enorme Anzahl von bestellbaren Teilen machen eine Bearbeitungszeit zum Heraussuchen der entsprechenden Preise unumgänglich. Wenn wundert's, daß da schnell mal eine Wartezeit von einigen Minuten für den Anrufer entsteht. Doch welcher Anrufer weiß schon, was an Arbeitsaufwand notwendig ist, um den gewünschten Preis herauszusuchen? Viele Anfrager meinen, das sei doch nur ein „Klacks" und da bräuchte man nur mal schnell nachsehen. Die Konsequenz: Hier müssen Einsichten erzeugt, muß Verständnis geweckt werden.

Und zum guten Schluß eines solchen Telefonates kann es nochmals schwierig werden: Wer den Preis erfahren hat, will danach zumeist wissen, ob das Teil vorrätig ist bzw. wann es geliefert werden kann.

Kein Betrieb kann es sich leisten, jedes Teil zu bevorraten. Eine Auswahl ist unumgänglich um die Lagerkosten in Grenzen zu halten. Diese Tatsache führt häufig zu Negativauskünften, die der Kunde „verdauen" muß. Kunden wollen bzw. können oftmals nicht verstehen, daß gerade das von ihnen so dringend benötigte Teil nicht vorhanden ist. Dies erfordert nochmals besonderes Geschick in der Gesprächsführung.

3.1.1.2 Die Besonderheit der Anfragen im Kundendienst

Auch im Werkstattgeschäft schläft die Konkurrenz nicht. Der Kampf um die Marktanteile führt zu einer Vielzahl von Angeboten, die der Automobilist anfragen und ausnutzen kann.

Von der einfachen Preisanfrage über die technische Auskunft bis hin zur „Einbauberatung" reicht die Palette der Anfragen im Kundendienst. Und genau wie im telefonischen Teileverkauf dominieren auch hier die Faktoren Information und Wartezeit. Hinzu kommt, daß die hier angefragten Preise sich aus verschiedenen Faktoren zusammensetzen. Das erfordert oft noch mehr Zeit: Da müssen AW's nachgesehen und errechnet werden, Teilepreise beim Kollegen erfragt werden und in vielen Fällen ist eine konkrete Auskunft gar nicht möglich, da der Umfang der erfragten Leistung (z.B. Unfallschaden) telefonisch nicht erfaßt werden kann. Das bringt Komplikationen mit sich, die es zu umgehen gilt.

Und gerade im Kundendienst wird der „Laieneffekt" besonders deutlich. Viel Geduld ist erforderlich, um das Anliegen des Nicht-Technikers genau zu klären, bevor überhaupt an eine Preisauskunft zu denken ist.

3.1.2 „Wo liegt die Achillesferse des Anrufers?" – Häufige Fehler bei telefonischen Preisanfragen

Vergegenwärtigen wir uns nochmals die Situation des Anrufers: Er steht vor einer Kauf- bzw. Auftragsentscheidung und will sich vorab informieren. Von der Information zum Auftrag ist es aber oft nur ein kleiner Schritt, der verhindert werden kann, wenn:

1. Fehler: Die Preisanfrage eines Interessenten wird nicht als Akquisitionschance gesehen.
2. Fehler: Bestimmte Kundengruppen (z.B. Freie Werkstätten, Tankstellen, „do-it-yourself-Kunden") werden nicht als echte Kunden angesehen und herablassend oder oberflächlich behandelt.
3. Fehler: Preise werden ohne Argumente genannt.
4. Fehler: Bei unklaren technischen Fragestellungen wird nicht der Versuch unternommen, den Kunden in den Betrieb zu bringen.
5. Fehler: Es wird nicht auf Einbau- bzw. Reparaturmöglichkeiten im eigenen Betrieb hingewiesen, Sonderangebote und -aktionen werden nicht erwähnt.
6. Fehler: Bei Bestellwünschen wird der Kunde lapidar aufgefordert, daß er sich „schon einmal zu uns herbegeben" müsse.

3.1.2.1 Die Preisanfrage eines Interessenten wird nicht als Akquisitionschance gesehen

Kundendienstberater und Teileverkäufer haben verkäuferische Funktionen im Betrieb. Sie müssen dafür sorgen, daß in ihrem Profit-Center die Zahlen stimmen. Diese wiederum können nur stimmen, wenn Anfragen als Chance der Akquisition und des Verkaufs gesehen werden und am Telefon entsprechend reagiert wird. Wer Interessenten wieder „laufen läßt", ohne den Versuch eines Verkaufsgespräches unternommen zu haben, handelt sträflich.

3.1.2.2 Bestimmte Kundengruppen werden nicht als echte Kunden angesehen und herablassend oder oberflächlich behandelt

Natürlich stehen diese Kundengruppen im Wettbewerb zum Autohaus. Doch auch mit Verkäufen an Tankstellen oder Fremdwerkstätten können Umsätze erzielt und Erträge erwirtschaftet werden. Auch diese Anrufer sind Kunden! Und schon so mancher „Bastler" konnte durch eine aktive Gesprächsführung als Werkstattkunde gewonnen werden. „Jeder Anrufer ist ein potentieller Kunde und muß entsprechend behandelt werden!", diese Devise sollte für jede Anfrage gelten.

3.1.2.3 Preise werden ohne Argumente genannt

Kunden wollen ihre Vorteile sehen! Und wer soll diese Vorteile aufzeigen, wenn nicht der Telefonverkäufer oder der Kundendienstberater des Autohauses? Vielleicht die Konkurrenz, die sich dann über einen neuen Kunden freut? Gute Argumente müssen die Preisnennung auf ihrem Gang zum Ohr des Gesprächspartners begleiten. Eine nackte Zahl sagt nichts über Qualität und Vorteile eines Produktes aus, eine Nutzenargumentation sehr wohl. Und nur diese Nutzenargumentation kann überzeugen und zum Kauf führen.

3.1.2.4 Bei unklaren technischen Fragestellungen wird nicht der Versuch unternommen, den Kunden in den Betrieb zu bringen

Kennen Sie den Anrufer, der sich nach einer Kotflügellackierung erkundigt und bei dem sich dann herausstellt, daß das Fahrzeug beinahe Schrottwert besitzt? Jedes Telefonat hat seine Grenzen, auch die Preisanfrage. Und diese Grenze ist dann gegeben, wenn auf Grund der Kundenangaben keine eindeutige Auskunft gegeben werden kann. Wer den Kunden jedoch jetzt allein läßt, verschenkt potentielle Umsätze. Viele Fragen sind nur vor Ort zu klären, hier kann man auch besser Preise erläutern und begründen. Gerade bei Reparaturpreisanfragen im Kundendienst ist es oft unumgänglich, den Kunden in den Betrieb zu bringen, um ihm einen entsprechenden Kostenvoranschlag unterbreiten zu können.

3.1.2.5 Es wird nicht auf die Einbau- bzw. Reparaturmöglichkeiten im eigenen Betrieb hingewiesen, Sonderangebote und -aktionen werden nicht erwähnt

Auch der „Bastler" ist hinterher oft klüger, wenn er sein für die Reparatur verbrauchtes Wochenende dem Einbaupreis der Werkstatt gegenüberstellt. Noch schlimmer wird es, wenn die Sache am Montag nicht funktioniert und nun professionelle Hilfe in Anspruch genommen werden muß. Sagen Sie es dem Anrufer doch vorher, was da auf ihn zukommt, oder welche geringen Kosten beim werkstattseitigen Einbau entstünden! Viele Anfrager überschätzen die Werkstattpreise und erkundigen sich erst gar nicht danach. Seien Sie nicht schüchtern und ergreifen Sie selbst die Initiative, bieten Sie bei Preisanfragen im Teilebereich die Werkstattleistung gleich mit an!

3.1.2.6 Bei Bestellwünschen wird der Kunde lapidar aufgefordert, daß er sich „schon einmal zu uns herbegeben" müsse

Preisanfragen sind Vorabinformationen, die häufig in Lieferanfragen übergehen und in einem Auftrag enden sollten. Doch was tun, wenn das erfragte Teil nicht auf Lager und die Bestellung für einen unbekannten Kunden notwendig wird? Ohne schriftlichen Auftrag bestellen? Wer trägt das unternehmerische Risiko, wenn die telefonisch bestellte „Rarität" nicht abgeholt wird und noch nach Jahren ihren Dornröschenschlaf im Lager hält? Also ist es manchmal unumgänglich, daß der Kunde zu uns kommt, das gewünschte Teil bestellt und gegebenenfalls sogar eine Anzahlung leistet. Wer jetzt nach dem Motto „Da müssen Sie sich schon mal zu uns bemühen!" handelt, fängt sich zumeist nur Mißmut ein. Wenn dieser Weg schon sein muß, dann halt mit Fingerspitzengefühl und ohne überflüssigen Bürokratismus!

3.1.3 „Der Erfolg ist machbar!" – Systematisches Vorgehen bei der Preisanfrage

Der Weg, um aus einer schlichten Preisanfrage ein echtes Verkaufsgespräch zu machen, ist gar nicht so weit und weitaus weniger schwierig als Sie vielleicht vermuten. Das Gesprächsprinzip heißt: Verkaufschancen nutzen, ohne den Eindruck zu hinterlassen, man wolle den Anrufer mit Macht in den Betrieb zerren. Zunächst sei das Vorgehen im Überblick dargestellt:

Gesprächsleitfaden Preis- und Lieferanfragen

1. Schritt: Gesprächseröffnung.

2. Schritt: Bedarfsermittlung.

3. Schritt: Preisnennung mit Argumentation.

4. Schritt: Einwandbehandlung.

5. Schritt: Vereinbarungsvorschlag.

6. Schritt: Gesprächsabschluß.

3.1.3.1 Gesprächseröffnung

Das Gespräch beginnt auch hier mit der Meldung des Mitarbeiters, die nach den Regeln der Kundenorientierung (siehe Kapitel 2.2.2) erfolgen sollte. Der Kunde wird nun mehr oder minder professionell sein Anliegen schildern. Allein aus seiner Formulierungsart können Sie bereits Rückschlüsse auf Ihr eigenes Beratungsverhalten nehmen. Je detaillierter die Angaben, desto wahrscheinlicher handelt es sich um einen Anrufer, der die Prozedur kennt und der weiß, worauf es Ihnen ankommt. Prima, denn Ihnen wird Arbeit abgenommen und Sie können gleich zum Kern des Gespräches vordringen. Darum sollten Sie den Anrufer für seine Professionalität loben:

„Toll, wie genau Sie mir die Angaben bereits gegeben haben."

„Schön, daß Sie bereits die erforderlichen Daten parat haben."

„Danke für Ihre detaillierten Informationen. Kleinen Moment bitte, ich suche die gewünschten Preise gleich heraus."

Durch solche Formulierungen liefern Sie Ihrem Anrufer eine angenehme Aufwertung. Dies hat zur Folge, daß das Gesprächsklima positiv gestimmt und die Wahrscheinlichkeit erhöht wird, daß sich der Anrufer in Zukunft wieder so „betriebsorientiert" verhält. Positive „Kundenerziehung" könnte man dieses Vorgehen auch nennen.

„Kundenerziehung" heißt jedoch nicht, mit Worten zu bestrafen. Niemand darf für seine ungenaue oder gar ungeschickte Ausdrucksweise getadelt werden. Nehmen Sie die laienhaften Formulierungen eines Anfragenden als Signal, daß Sie Ihr besonderes Können in puncto Fachberatung einsetzen können. Ermun-

75

tern Sie ihn eher zur Gesprächsfortsetzung bzw. geben Sie ein Zeichen der Anerkennung dafür, daß er gerade bei Ihnen anfragt. Jedes höfliche schriftliche Angebot enthält doch auch Formulierungen wie „Wir danken Ihnen für Ihre Anfrage ...“ Warum also nicht auch am Telefon?

> *„Herzlichen Dank für Ihren Anruf. Sehr gern will ich Ihnen Ihre Frage beantworten.“*

Aber Vorsicht vor Überschwenglichkeit! Der Anrufer sollte nicht den Eindruck gewinnen, Kundenanfragen seien bei Ihnen eine Rarität.

Oft reicht es auch, wenn Sie nach dem Einleitungssatz des Interessenten eine kurze positive Bestätigung geben. (*„Gerne!“ „Das will ich gerne tun!“*) Danach sollten Sie gleich zur Bedarfsermittlung überleiten.

3.1.3.2 Bedarfsermittlung

Sie erinnern sich: Kunden fühlen sich manchmal ausgehorcht, wenn viele Detailinformationen erfragt werden. Wenn dies noch in schroffer Form erfolgt, entsteht hieraus gar Verärgerung. Dennoch müssen Sie diese Angaben besitzen, um eine kompetente Preisauskunft geben zu können. Darum ist es hilfreich, die zu stellenden Fragen vorab zu begründen:

> *„Herr Muster, ich benötige noch einige Informationen von Ihnen, um den gewünschten Preis nennen zu können. Sagen Sie mir bitte ...“*

> *„Aufgrund der Vielfältigkeit der Teile müßte ich zunächst von Ihnen wissen ...“*

> *„Herr Kunde, in meinem Teilekatalog sind einige tausend Teile aufgezeichnet. Natürlich möchte ich Ihnen eine korrekte Auskunft geben. Sind Sie so nett und sagen mir ...“*

So kann der Anrufer Ihr Verhalten verstehen und Verständnis dafür entwickeln.

Kaum ein Kunde hat bei seinem Anruf alle notwendigen Daten parat und dann erfordert die Suche seine Zeit. Helfen Sie Ihm bei der Suche:

> *„Die für Ihr Fahrzeug eingetragene Reifengröße finden Sie auf der Seite X Ihres Fahrzeugscheines. Wenn Sie dort bitte einmal nachsehen würden.“*

Wenn Sie bemerken, daß eine längere Suchaktion des Kunden nach seinen Papieren sich ankündigt, so bitten Sie ihn gegebenenfalls um einen erneuten Anruf:

> *„Herr Kunde, würde es Ihnen etwas ausmachen, wenn Sie mich nochmals anriefen? Sie können dann in Ruhe Ihre Unterlagen heraussuchen. Ich geb'*

Ihnen meine Direktdurchwahl, dann haben Sie mich nachher gleich am Apparat. Einverstanden?"

Wenn Sie alle notwendigen Informationen vom Kunden erhalten haben, sollten Sie sich bedanken und Ihre jetzt folgenden Handlungen kurz erwähnen:

„Herzlichen Dank Herr Muster, Ich werde jetzt im Lesegerät nachsehen und den Preis heraussuchen. Wenn Sie bitte am Apparat bleiben, es wird einige Zeit dauern."

Im Kundendienst empfiehlt es sich, für alle gängigen Arbeiten entsprechend der Fahrzeugtypen Komplettpreislisten anzulegen und diese bei Preisanfragen auch einzusetzen. Sie ersparen sich dadurch lange Suchaktionen und dem Kunden längere Wartezeiten. Wenn dennoch Nachfragen im Lager notwendig sind, sollten Sie dies dem Kunden ankündigen:

„Herr Kleber, einen kleinen Augenblick bitte! Ich erkundige mich noch bei meinem Kollegen im Lager nach den Preisen für die notwendigen Teile."

Keinesfalls darf der Kunde in diesem Fall selbst ins Lager zwecks Preisanfrage verbunden werden. Er würde dies Verhalten als umständlich und nicht hilfsorientiert empfinden.

Natürlich sind nicht alle Kunden „Geduldslämmer", so daß es schon einmal Kritik an der Länge der Bearbeitungszeit gibt:

B: *„Herr Müller, hören Sie?"*

A: *„Na klar, ich wäre fast eingeschlafen. Dauert das immer so lange bei Ihnen?"*

B: *„Bitte haben Sie Verständnis dafür, daß es etwas dauerte! Wir führen in unseren Unterlagen über ... Teile und jährlich kommen ein paar hundert noch hinzu. Bei dieser Fülle ist es nicht immer ganz einfach, schnell reagieren zu können."*

Durch solche erklärenden Informationen schaffen Sie Verständnis auf der Seite des Anrufers. Natürlich sollte keine „Jammerei" daraus werden!

Wenn eine längere Bearbeitungszeit für die Nachfrage abzusehen ist, empfiehlt es sich einen Rückruf anzubieten:

„Herr Kleber, die Ermittlung des Preises wird einige Zeit in Anspruch nehmen. Ich möchte Ihnen lästige Wartezeit ersparen. Darf ich Sie zurückrufen?"

Somit verschaffen Sie sich einerseits Ruhe zur Kalkulation, andererseits die hilfreiche Vorbereitungszeit für Ihre Preisargumentation und zusätzlich haben Sie durch die genannte Telefonnummer schon einen „kleinen Fuß in der Tür".

Kostenvoranschläge für umfangreiche Reparaturen sollten Sie nur auf der Basis einer eingehenden Diagnose abgeben. Erklären Sie in diesem Fall dem Kunden die Notwendigkeit und bitten Sie ihn, in Ihren Betrieb zu kommen. Vereinbaren Sie gleich einen festen Diagnosetermin und lassen Sie sich die Telefonnummer des Anrufers geben, so daß Sie bei Nichterscheinen nachhaken können:

„Sehr gerne würde ich Ihnen diese Preisauskunft bereits am Telefon geben. Leider ist es in solchen Fällen fast unmöglich einen realistischen Preis zu nennen, ohne das Fahrzeug vorher gesehen zu haben. Ich schlage Ihnen vor, daß Sie kurz bei uns vorbeischauen und ich Ihnen dann gleich einen Preis nenne, den wir dann auch so einhalten können. Was halten Sie davon? ... Wäre es Ihnen um ... Uhr angenehm?"

„Natürlich wollen Sie einen fairen Preis von uns erfahren. Ohne das Fahrzeug gesehen zu haben, würde ich Sie möglicherweise mit meinem Preis erschrecken ..."

Mit diesem Vorgehen vermeiden Sie beim Anfragenden den Eindruck des „Lockens" und des „Schockens".

3.1.3.3 Preisnennung mit Argumentation

Zentraler Punkt einer jeden Preisanfrage ist die Preisnennung. Sie muß auf der Basis einer umfassenden Bedarfsermittlung erfolgen und entscheidet maßgeblich über einen späteren Auftrag. Ungünstig wird ein Gespräch verlaufen, wenn beim Anrufer der „Preisschock" entsteht. Dieser wird häufig schon dadurch erzeugt, daß der Preis „pur", d. h. ohne jegliche Nutzenargumentation genannt wird.

Der Hintergrund hierzu: Anfragende entwickeln zumeist selbst eine ungefähre Vorstellung über den Preis. Entweder handelt es sich dabei um Erfahrungswerte (z. B. der Kunde kennt den Preis einer Wasserpumpe beim Fabrikat XY) oder der Preis wird auf Grund laienhafter Vorstellungen selbst „kalkuliert" (z. B. „Na ja, so'n kleines Teil kann ja nicht teurer als 10,– DM sein!"). Weicht nun der genannte Preis von diesen internen Preisvorstellungen wesentlich ab, so kann der besagte „Preisschock" entstehen. Die Auswirkungen dieses Effektes spüren Sie, wenn der Anrufer das Telefonat nach der Preisnennung vorschnell beendet.

Grundsätzlich empfiehlt es sich daher, den Preis in Informationen und Argumente „einzupacken". Der Kunde muß wissen, was er davon hat bzw. wie sich der Preis zusammensetzt.

„Herr Kunde, die von Ihnen gewünschte Auspuffanlage kostet 309,– DM, wobei Sie ein hochwertiges Original-Ersatzteil erhalten, das sich durch besondere Robustheit und Langlebigkeit auszeichnet."

„Herr Kunde, der Qualitätsreifen kostet inklusive Montage und Wuchten 145,– DM pro Rad. Sie haben damit einen Sicherheitsreifen, der Sie gerade in dieser Witterung nicht im Stich läßt."

Häufig wird bei der Preisnennung die Mehrwertsteuer vergessen. Für jeden Privatkunden ist diese Steuer eine beachtenswerte Größe und muß in der Preisnennung erwähnt werden. Wenn nicht, so kann der Privatkunde beim genannten Preis vom Bruttopreis ausgehen. Im Rechtsstreit hätte der „Preisnenner" das Nachsehen. Darum: jede Preisnennung mit Mehrwertsteuer!

„Die Preise, die ich Ihnen nannte verstehen sich inklusive der vierzehn Prozent Mehrwertsteuer."

Natürlich ist für einen Vorsteuerabzugsberechtigten der Nettopreis interessanter. Fragen Sie eventuell danach oder nennen Sie den Preis gleich nach dem Muster: Netto plus Steuer gleich Bruttopreis.

„Die Kupplung kostet XX DM zuzüglich Mehrwertsteuer, macht einen Inklusivpreis von YY DM."

Die Preisnennung ist ein zentraler Punkt dieses Telefonates. Nutzen Sie die Chancen einer sinnvollen Gesprächsführung und erhöhen Sie dadurch die Abschlußwahrscheinlichkeit.

3.1.3.4 Einwandbehandlung

Preiseinwände gehören zum Geschäft und dürfen nicht einfach nur vom Tisch gewischt werden. Der Verbraucher hat die Wahl, er kann dort kaufen, wo er es am günstigsten bekommt. Verständlich also, daß er nicht jeden Preis gleich schluckt. Auch hier gilt: ruhig und gelassen bleiben und mit guten Argumenten und der entsprechenden Einwandbehandlungsmethode (siehe Kapitel 1.3.4) das Gespräch zielstrebig fortsetzen.

A: *„Mensch, ich wollte doch nicht Ihr ganzes Lager aufkaufen!"*

B: *„Herr Mangold, darf ich fragen, warum Ihnen der Preis zu hoch erscheint?"*

A: *„Das ist aber ziemlich teuer!"*

B: *„Herr Paal, ich kann durchaus verstehen, daß Sie der Preis zunächst überrascht. Mir ginge. das auch so. Bitte bedenken Sie aber, daß es sich hier um ein Originalteil von besonderer Qualität handelt. Ich darf Ihnen einmal kurz die Besonderheiten und Vorzüge erläutern ..."*

Die Behandlung von Preiseinwänden bedeutet, die Preisvorstellungen des Kunden „gerade zu rücken". Natürlich nicht mit Gewalt, sondern mit guten Informationen und Argumenten. Bedenken Sie: Wer nicht weiß, welche Leistung und welcher Nutzen sich hinter einem Preis verbirgt, wird es schwer haben, diesen Preis zu verstehen.

„Herr Müller, Ihr Fahrzeug ist jetzt fünfzehn Jahre alt. Sie erwarten mit Recht, daß auch für Ihr Fahrzeug noch Teile geliefert werden. Bitte bedenken Sie, daß die Teile für diese Fahrzeuge aber heute in viel geringeren Stückzahlen gefertigt werden. Das sind manchmal fast Einzelstücke und wenn Sie dann noch die Lagerhaltungskosten hinzurechnen ... "

In einigen Fällen ist es auch durchaus angebracht die Einwandvorwegnahme zu praktizieren. Etwa dann, wenn Sie bereits häufig Preiseinwände zu diesem Teil oder zu dieser Reparatur hörten. Greifen Sie in diesen Fällen den Einwand selbst auf und entkräften Sie ihn.

Positive Äußerungen des Kunden zu dem von Ihnen genannten Preis sollten Sie unbedingt beachten und verstärken.

B: *„Herr Karl, der Qualitätsreifen kostet inklusive Montage und Wuchten 145,– DM. Sie haben damit einen Sicherheitsreifen, der Sie gerade in dieser Witterung nicht im Stich läßt. "*

A: *„Das klingt ja ganz gut. "*

B: *„Es freut mich, daß Sie das sagen. Ja, der Preis ist sehr günstig. Und bedenken Sie, daß Sie hierfür ... "*

Natürlich gibt es auch das: Kunden fragen nach einem Rabatt. Kein Wunder! Großhändler-, Schüler-, Studenten-, Hausfrauen-, Journalisten-, Wiederverkäufer- oder Großkundenrabatte begleiten heute den Verbraucher auf all seinen Wegen. Rechnen Sie also damit, fegen Sie sie nicht vom Tisch sondern argumentieren Sie. Und wenn doch etwas für den Kunden „drinliegt", holen Sie ihn jetzt ins Haus und lassen Sie sich nicht auf telefonisch genannte Rabatte ein, sonst erzeugen Sie die Basaratmosphäre!

A: *„Und was lassen Sie mir auf den Listenpreis nach? "*

B: *„Herr Müller, natürlich verstehe ich Ihre Rabattfrage. Ich schlage vor, daß wir uns bei Auftragsannahme nochmals über diesen Punkt unterhalten. Paßt es Ihnen um ...? "*

3.1.3.5 Vereinbarungsvorschlag und Zusatzverkauf

Im Teileverkauf ist mit der Preisanfrage in aller Regel die Bestandsfrage verbunden. Autohausmitarbeiter kennen zur Genüge die „Haben Sie das da?"-Fragen. Wer auf diese Frage mit „Ja" antworten kann, ist „aus dem Schneider" und leitet zum Vereinbarungsvorschlag über. Wer „nein" sagen muß, sollte sein Bedauern zum Ausdruck bringen und dem Anrufer eine Lösung anbieten.

„Es tut mir leid Herr Moller, das gewünschte Teil ist leider nicht am Lager. Ich weiß, daß das sicher nicht so schön für Sie ist. Ich schlage Ihnen vor, daß ich jetzt sofort beim Hersteller bestelle und dann haben wir es morgen früh hier bei uns."

Erfolgt Kritik auf einen abschlägigen Bescheid, so helfen auch hier zusätzliche Hintergrundinformationen:

„Dieses Teil verschleißt recht selten, darum haben wir auch keines auf Lager ..."

„Vielen Dank und auf Wiederhören!" sagte der Anrufer nachdem er den Preis erfahren hatte und war nie im Betrieb gesehen. Wer kennt sie nicht, die „Ich überleg mir das nochmal"-Antworten? Was kann man dagegen tun? Schweigen tötet das Telefonat, darum sollten Sie sich durch Fragen wieder ins Gespräch bringen:

„Wissen Sie schon, wann Sie das Teil bei uns abholen werden?"

„Wissen Sie schon, wann Sie kommen werden?"

Natürlich können Sie es auch mit der „Reservierungstechnik" versuchen!

„Herr Margert, meine Bestandsliste sagt mir, daß wir nur noch ein Exemplar auf Lager haben. Darf ich Ihnen dies reservieren?"

„Herr Margert, bei diesem Teil könnte die Bestellung einige Tage in Anspruch nehmen. Ich sehe jedoch gerade, daß wir noch eines da haben. Möchten Sie das haben?"

Für den Kundendienst gilt analog die „Terminvorschlagstechnik":

„Wenn Sie möchten, können wir bereits jetzt einen Werkstattermin vereinbaren. Würde es Ihnen am ... passen?"

Geben Sie dem Anrufer eine kurze „Verdauungszeit" und aktivieren Sie ihn dann wieder:

„Was halten Sie von meinem Vorschlag?"

In manchen Fällen bietet es sich auch an, dem Kunden Informationsmaterial zuzusenden. Unterbreiten Sie Ihm diesen Vorschlag und bitten Sie Ihn um seine Adresse:

„Herr Norbert, sehr gern würde ich Ihnen unseren Zubehörkatalog zusenden, aus dem Sie nochmals alle wichtigen Informationen entnehmen können. Sind Sie so freundlich und geben mir Ihre Adresse."

Als cleverer Telefonverkäufer müssen Sie mit Ihrem Zusatzverkauf nicht erst bis zum Kommen des Kunden warten. Auch die Preis-/Lieferanfrage kann hierzu genutzt werden:

> *„Herr Kleiber, wenn Sie die Einspritzdüsen wechseln wollen, dann empfehle ich Ihnen den Kraftstofffilter bei dieser Gelegenheit auch gleich auszuwechseln. Erfahrungsgemäß ..."*

> *„Herr Klausen, wir haben derzeit die Felgen im Sonderangebot. Sie bekommen die Felge zum Stückpreis von 80,– DM inklusive Mehrwertsteuer. Es ist doch wesentlich praktischer wenn die Winterreifen bereits auf den Felgen aufgezogen sind."*

Solche Hinweise und Empfehlungen helfen dem Kunden bei der Problemlösung und sind durchaus bereits im Telefonat angebracht. Der Kunde wird Ihre Empfehlung später beim Kauf aufgreifen. Übrigens: Schon so mancher Selbsteinbauer kam beleidigt zurück, weil der Kollege vergaß, ihm die zum Einbau oder zur Reparatur notwendigen Zusatzteile zu verkaufen. Das bereitet Ärger! Warum also nicht bereits am Telefon darauf hinweisen bzw. das Angebot unterbreiten?

3.1.3.6   Vereinbarung und Gesprächsabschluß

Umsätze werden durch Abschlüsse erzielt, nicht durch Preisanfragen. Aus diesem Grund gilt es, aus der Anfrage eine Vereinbarung entstehen zu lassen und diese im Telefonat zu konkretisieren:

> *„Gut, Herr Mahler, wie vereinbart, Sie werden heute nachmittag kommen, um das Teil zu holen. Mein Name ist Siebert, fragen Sie doch bitte im Teileverkauf nach mir."*

Durch solche „Vereinbarungen" bringen Sie Verbindlichkeit ins Gespräch und bereiten auf den persönlichen Kundenkontakt vor.

Einen Schritt weiter gehen Sie mit der bereits genannten Reservierungstechnik:

> *„Herr Schöller, das Teil bleibt für Sie bis heute nachmittag 16.00 Uhr reserviert. Sprechen Sie mich bitte direkt an, wenn Sie kommen."*

Noch mehr Wirkung können die folgenden Aussagen erzielen:

> *„Herr Schöller, ich verspreche Ihnen, daß das Teil für Sie reserviert bleibt. Ich lege es mir gleich nach unserem Gespräch zur Seite. Sie kommen spätestens bis 14.00 Uhr, wenn ich Sie richtig verstanden habe?"*

Natürlich müssen solche Versprechungen auch wirklich eingehalten werden.

Sollten Sie das Teil für den Anrufer bestellen, so empfiehlt es sich, zumindest seinen Namen und die Anschrift zu erfahren. Auch wenn Sie dadurch noch keine Rechtsverbindlichkeit herstellen, so binden Sie doch in gewisser Weise den Kunden an sein Wort.

> *„Auf welchen Namen darf ich das Teil bestellen? – Sagen Sie mir bitte auch Ihre Anschrift!"*

> *„Herr Wollenweber, sind Sie so nett und geben mir Ihre Rufnummer. Sollten sich noch Fragen zur Bestellung ergeben, dann könnte ich Sie gegebenenfalls zurückrufen."*

Kunden, die ernsthaft bestellen wollen, werden gerne ihre Adresse und/oder ihre Rufnummer bekanntgeben.

Auch im Kundendienst gilt das Verbindlichkeitsprinzip, das hier etwas einfacher durch die Vereinbarung eines Werkstattermins zu erreichen ist.

> *„Herr Müller, ich hab' mir den Einbautermin für den nächsten Donnerstag notiert. Das ist der Achtzehnte. Wenn Sie bitte gegen 8.30 Uhr kommen!"*

3.1.4 „Herr Mustermann telefoniert!" – Überarbeitetes Gesprächsbeispiel

A: *„Schulze und Sohn, Anderson, guten Tag."*

B: *„Hoffmann, guten Tag. Ich wollte mich mal erkundigen, was eine Auspuffanlage für meinen Star bei Ihnen kostet."*

A: *„Gerne Herr Hoffmann! Da verbinde ich Sie am besten mit unserem Lagerleiter, Herrn Krommbach, der kann Ihnen da schnell und gezielt Auskunft geben. Kleinen Moment bitte."*

B: *„Okay, ich warte."*

A: *„Teileverkauf, Krommbach, guten Tag!"*

B: *„Hoffmann, guten Tag. Was kostet bei Ihnen eine Auspuffanlage für meinen Star?"*

A: *„Herr Hoffmann, ich benötige noch einige Informationen von Ihnen, um den gewünschten Preis nennen zu können. Sagen Sie mir bitte, ob es sich um einen Star XZ oder XXZ handelt und wann ihr Fahrzeug gebaut wurde!"*

B: *„Ach so, ich versteh'! – Einen XXZ fahre ich, Baujahr 89."*

A: *„Vielen Dank! – Einen kleinen Augenblick bitte, ich ruf mir die Daten auf meinem Bildschirm auf, das dauert einige Sekunden ... Herr Hoffmann! – Komplett kostet die Auspuffanlage, bestehend aus Endschalldämpfer und ... Achthundertunddreiundvierzig, zuzüglich der 14 Prozent Mehrwertsteuer von ... also komplett ..."*

B: „Pah, das ist aber happig!"

A: „Herr Hoffmann, ich kann durchaus verstehen, daß Sie der Preis zunächst überrascht. Mir ginge das auch so. Bitte bedenken Sie aber, daß es sich hier um ein Originalteil von besonderer Qualität handelt."

B: „Im freien Handel krieg ich das aber wesentlich günstiger."

A: „Da haben Sie natürlich recht. Haben Sie sich aber im Handel schon einmal nach der Paßgenauigkeit der Anlagen erkundigt? Wir erleben das bei uns immer wieder, daß Kunden schon nach geringen Laufzeiten mit Problemen in die Werkstatt kommen."

B: „Darüber hab' ich mir noch gar keine Gedanken gemacht!"

A: „Das ist verständlich! Ginge mir sicher auch so, wenn ich nicht täglich mit der Materie arbeiten würde. Übrigens, Herr Hoffmann, unsere Werkstatt hat einen Aktionspreis beim Einbau der Auspuffanlage. Für ... DM Einbaukosten wären Sie alle Probleme los und hätten noch ein Jahr Garantie auf die Anlage und den Einbau. Was halten Sie von meinem Vorschlag?"

B: „Hört sich gar nicht so übel an!"

A: „Nicht wahr. Wäre ich zu schnell, wenn ich Sie fragen würde, wann es Ihnen mit dem Einbau passen würde?"

B: „Nein, nein, ist sicher besser so."

A: „Sie werden Ihre Entscheidung bestimmt nicht bereuen. Wenn Sie mir kurz sagen, wann es Ihnen am besten paßt, dann setze ich mich mit meinem Kollegen in der Werkstatt in Verbindung und versuche Ihre Terminvorstellung in die Tat umzusetzen. In Ordnung?"

B: „Gut, mir wäre es bereits morgen schon recht."

A: „Ich versuche es. Einen kleinen Augenblick bitte ... Herr Hoffmann, geht in Ordnung. Paßt es Ihnen morgen um 8.30 Uhr?"

B: „Okay"

A: „Prima, dann bis morgen früh um 8.30 Uhr. Wenden Sie sich doch bitte an meinen Kollegen, Herrn Walter, das ist der Kundendienstberater unseres Hauses. Und vielen Dank."

B: „Ich danke Ihnen auch. Auf Wiederhören!"

A: „Bitte. Auf Wiederhören!"

3.2 „Da geht es doch nur um eine Terminvereinbarung!" – Die telefonische Voranmeldung des Werkstattkunden

Auch das Leben eines Automobils ist nicht störungs- und wartungsfrei. Mehr oder minder häufig muß der Besitzer des Wagens mit seinem „liebsten Kind" in die Werkstatt. Mal weiß er es vorher und mal trifft es ihn wie aus heiterem Himmel. Planbare und unvorhergesehene Werkstattarbeiten sind es, die den Kunden in die Werkstatt führen. Die Werkstatt lebt vom ihm und seinen Aufträgen. Je früher sie weiß, welche Arbeiten wann auf sie zukommen, desto besser, denn dann kann sie sich darauf einstellen. Also prima, wenn Kunden zum Hörer greifen und sich zu einer solchen planbaren Werkstattarbeit anmelden wollen.

A: *„Autohaus Knarr."*

B: *„Selig. Guten Tag. Ich möchte meinen Wagen zur Zwanzigtausend-Kilometer-Inspektion anmelden."*

A: *„Ja gern. Wann möchten Sie denn kommen?"*

B: *„Morgen am Dienstag würde mir es gut passen."*

A: *„Tut mir leid, da sind wir schon ausgebucht. Wie wäre es mit Donnerstag?"*

B: *„Ja, das könnte auch gehen."*

A: *„Prima. Sagen Sie mir noch Ihren Namen, damit ich Sie eintragen kann?"*

B: *„Selig."*

A: *„Gut Herr Selig, Donnerstag früh. Geht in Ordnung. Bis dann, auf Wiederhören."*

B: *„Ja, auf Wiederhören. Danke!"*

Auf den ersten Blick erscheint dieses Gespräch unproblematisch. Beim näheren „Hinhören" jedoch werden Sie feststellen, daß die dort getroffene Vereinbarung eine gewisse Sprengwirkung besitzt. Wieviel Zeit soll für die Inspektion eingeplant werden, wenn der Mitarbeiter nicht weiß, um welchen Fahrzeugtyp es sich handelt? Hat der Kunde wirklich nur die Zwanzigtausender oder steht er am besagten Termin noch mit diversen Garantie- oder Zusatzarbeiten vor der Tür und der ganze Zeitplan der Werkstatt wird durcheinandergeschmissen? Wann am Donnerstag wird der Kunde kommen? Zu viele Fragen wurden in diesem Gespräch nicht gestellt und bleiben damit unbeantwortet.

3.2.1 „Was soll das eigentlich?" –
Die Zielsetzung einer telefonischen Terminvereinbarung

Der größte Teil der notwendigen Werkstattkontakte im Leben eines modernen Automobils besteht aus laufleistungs- und zeitabhängigen Wartungsarbeiten. Für den Kunden sind diese Arbeiten vorhersehbar, planbar und damit auch anmeldbar. Daß nicht alle Fahrzeugbesitzer die Konsequenz der Voranmeldung daraus ziehen, mag unterschiedliche Gründe haben, für die zum Teil sogar die Werkstätten selbst verantwortlich sind. Für den Betrieb bedeutet jede Voranmeldung die Möglichkeit der Planung und die Ausschöpfung der mit ihr verbundenen Vorteile.

Ohne Voranmeldung und damit ohne Auslastungssteuerung würde „Gevatter Zufall" das Regiment in der Werkstatt führen. An manchen Tagen kämen die Kunden in Scharen, an anderen Tagen wiederum wäre „tote Hose". Beides ist keineswegs im Sinne einer wirtschaftlichen und kundenorientierten Betriebsführung. Wie soll die Personalplanung erfolgen, wenn man nicht weiß, was auf einen zukommt? Im Zeitalter der Spezialisierung ist eine Einsatzplanung von qualifizierten Werkstattmitarbeitern unumgänglich. Wie soll diese Einsatzplanung aber erfolgen, wenn niemand weiß, wo und wann jemand einzusetzen ist?

Auf einen angemeldeten Kunden können Sie sich vorbereiten: Es können Aufträge vorgeschrieben und notwendige Teile bestellt werden. Sie haben die Möglichkeit zur Entzerrung von Andrangzeiten und damit zur eigenen Streßverringerung. Auch ein Werkstatt-Terminplaner kann hierbei gute Dienste leisten. Die für den Kunden entstehenden Umstände des Werkstattbesuches, z.B die Wartezeit, können reduziert werden,

Insgesamt kann die telefonische Voranmeldung ein Mittel sein, um die Betriebsabläufe reibungsloser zu gestalten und somit die Kundenzufriedenheit wesentlich zu erhöhen. Aus diesem Grund muß jeder Betrieb bestrebt sein, einen möglichst hohen Anteil an Voranmeldungen zu erreichen und deren Durchführung zu optimieren.

3.2.2 „So wird es nicht gemacht!" – Typische Fehler

Der Kunde, der sich anmeldet, gibt Ihnen einen Vertrauensvorschuß, den Sie nicht leichtfertig verspielen dürfen. Wenn in diesem Erstkontakt bereits etwas schiefläuft, dann steht der bevorstehende Werkstattaufenthalt unter einem ungünstigen Vorzeichen.

Einige typische Fehler der Gesprächsführung treten immer wieder auf.

1. Fehler: Der Arbeitsumfang wird nicht vollständig ermittelt.

2. Fehler: Die Terminsteuerung wird dem Kunden überlassen.

3. Fehler: Das Gespräch wird nicht strukturiert.

3.2.2.1 Der Arbeitsumfang wird nicht vollständig ermittelt

„Was ich nicht weiß, das macht mich nicht heiß!", nach diesem Motto wird mancherorts telefoniert. Da wird nicht ausführlich der dem Kunden bekannte Arbeitsumfang ermittelt und zusätzliche Kundenwünsche werden nicht erfragt. Kunden haben zumeist einen Anlaß, unter dem sie sich anmelden, z. B. eine Inspektion. Doch über diesen Anlaß hinaus gibt es häufig Arbeiten, die der Kunde gleich mit erledigt sehen möchte. Wird dies nicht erfragt, kommt das große Erwachen am Tag der Auftragsannahme. Die Folge: es bleibt keine Zeit für die „Wunschliste" des Kunden und das führt zu Enttäuschungen. Oder es wird geschoben und gedrückt und irgendein anderer Kunde ist der Leidtragende.

3.2.2.2 Die Terminsteuerung wird dem Kunden überlassen

„Wann möchten Sie kommen?", so lautet die Lieblingsfrage nach dem Terminwunsch in bundesdeutschen Werkstätten. Auf den ersten Blick erscheint diese Frage angebracht und kundenorientiert. Aber sie ist so formuliert, als könne sich der Kunde jeglichen Termin aussuchen. Kunden nehmen das wörtlich, suchen ihren Wunschtermin aus und hören nun die Realität: „Da sind wir leider schon ausgebucht!" Warum so kompliziert? Zu selten wird nach dem Terminrahmen des Kunden gefragt, zu wenig wird der Versuch der echten Terminsteuerung unternommen. Da läßt man sich „Brechstangentermine" aufs „Auge drücken" und stöhnt hinterher über die unverschämten Kunden. Wer dem Kunden die Terminsteuerung überläßt, bei dem sind solche Probleme vorprogrammiert.

3.2.2.3 Das Gespräch wird nicht strukturiert

Um sich auf einen Auftrag optimal einzustellen ist es notwendig, möglichst umfassende und vollständige Informationen zu erhalten und zu geben; z. B. zu Arbeitsumfang, Überbringungszeitpunkt, Fertigstellungstermin, Ersatzfahrzeug usw. Wer diese Themen nicht anspricht, Gespräche über sich ergehen läßt, wenig fragt und nur spärlich Informationen von sich gibt, der läuft Gefahr, ein großes Mißverständnispotential entstehen zu lassen. Telefonische Voranmeldungen erfordern Gesprächsinitiative, nur so läßt sich eine Strukturierung erreichen.

3.2.3 „Drehscheibe Voranmeldung" – Strukturierte Gesprächsführung

Wer die Vorteile einer Voranmeldung ausschöpfen will, der muß mit seinem Kunden intensiv sprechen. Das kostet Zeit. Doch wer die Zeit jetzt investiert, spart sie später bei Auftragsannahme und -abwicklung mehrfach ein.

Mit der Voranmeldung ist es wie mit einem Detektivspiel: Jeder der Beteiligten verfügt über Informationen, die der andere zunächst nicht hat. Diese Informationen bestimmen als Einflußfaktoren jedoch die Terminentscheidung. Ziel dieses „Spieles" ist es nun, möglichst viel vom anderen zu erfahren, um aufgrund dieser gewonnenen Erkenntnisse eine Terminentscheidung zur beiderseitigen Zufriedenheit zu treffen. Dieses Spiel hat etwas seltsame Bedingungen: Es können beide Beteiligten gleichzeitig den Sieg erreichen oder einer verliert. Verlierer kann jedoch nur die Werkstatt sein. Rien ne va plus.

Hier einige Hinweise, um das „Spiel" gemeinsam zu gewinnen. Die Einflußfaktoren auf die Voranmeldung sind:

1. Einflußfaktor: Welchen Terminrahmen, welche Terminvorstellungen hat der Kunde?

2. Einflußfaktor: Wie ist die gegenwärtige Werkstattplanung/der Vorlauf?

3. Einflußfaktor: Wie groß ist der dem Kunden bekannte Arbeitsumfang? Wie groß ist die Wahrscheinlichkeit, daß sich der Arbeitsumfang im Verlauf des Werkstattbesuches noch erweitert?

4. Einflußfaktor: Werden Teile benötigt und wenn ja, wie ist deren Verfügbarkeit?

5. Einflußfaktor: Ist es ein Stammkunde oder ein Neukunde?

6. Einflußfaktor: Wann benötigt der Kunde sein Fahrzeug wieder? Muß ihm gegebenenfalls mit einem Ersatzfahrzeug geholfen werden?

7. Einflußfaktor: Wie dringend und wichtig ist die Arbeitsausführung? Handelt es sich um eine verschiebbare Arbeit oder ist die sofortige Hilfe notwendig?

Eine Vielzahl von Fragen also, die in die Entscheidungsfindung einfließen und die berücksichtigt werden müssen. In der praktischen Gesprächsumsetzung ergibt sich daraus ein Gesprächsleitfaden mit den folgenden Elementen:

Gesprächsleitfaden Terminvereinbarung

1. Schritt: Anliegen ermitteln.

2. Schritt: Zusatzwünsche erfragen.

3. Schritt: Klärung der Terminwünsche und der Rahmenbedingungen.

4. Schritt: Terminvorschlag unterbreiten.

5. Schritt: Zusammenfasssung und Verabschiedung.

3.2.3.1 Anliegen ermitteln

Das Gespräch beginnt zumeist – nach der Meldung – mit der Nennung des Anliegens durch den Kunden. Auch hier ist beobachtbar, daß der Kunde mehr oder minder professionell seine Wünsche schildert. Die Formulierungen reichen von dem gezielten „Ich möchte am Donnerstag meinen Wagen zur 60 000-km-Inspektion bringen!" bis hin zum unspezifischen „Ich hab' da ein Problem!" Je spezieller der Wunsch durch den Kunden formuliert wird, desto präziser wird die Reaktion des Autohausmitarbeiters ausfallen müssen.

Bei völlig unspezifischen Äußerungen des Kunden, die auf eine gewisse Hilflosigkeit schließen lassen („Ich hab' da ein Problem!"), empfiehlt es sich, dem Anrufer Sicherheit und Zuversicht zu vermitteln und ihn zu bitten, sein „Problem" näher zu beschreiben:

„Womit kann ich Ihnen helfen?"

„Ich denke, wir werden Ihr Problem sicher beheben können. Bitte sagen Sie mir, worum es sich handelt."

„Wir helfen Ihnen gern. Was können wir für Sie tun?"

Dann gilt es aufmerksam zu sein und gegebenenfalls durch „umschreibendes Zuhören" (siehe Kapitel 1.3.1.2) den Sachverhalt zu präzisieren:

„Herr Müller, wenn ich Sie richtig verstanden habe, dann haben Sie gestern von der Polizei eine Mängelmeldung bekommen, weil eine erhöhte Rauchentwicklung bei den Abgasen festgestellt wurde?"

Schildert der Kunde sein Anliegen bereits genauer („Ich möchte meinen Wagen zur Inspektion anmelden!") so gilt es, durch gezielte Faktenfragen (siehe Kapitel 1.3.2.3) die Hintergrundinformationen zu erfragen:

90

„Welchen Fahrzeugtyp fahren Sie?"

„Um welche Inspektion handelt es sich?"

„Sagen Sie mir bitte den Kilometerstand Ihres Fahrzeuges."

„Wissen Sie, bei welchem Kilometerstand die letzte Inspektion ausgeführt wurde?"

Bei ungenauen Angaben werden Sie mehrere dieser Faktenfragen stellen müssen, so daß es sich eventuell auch hier empfiehlt, eine Fragebegründung abzugeben:

„Sind Sie so freundlich und geben mir erst einige Auskünfte zu ihrem Fahrzeug, damit ich mir ein Bild vom Arbeitsumfang machen kann?"

Nachdem Sie alle Grunddaten erfaßt haben, die als Mindestvorraussetzung zur Terminfindung (im Sinne einer optimierten Vorplanung) notwendig sind, sollten Sie zur Erfassung der Zusatzwünsche übergehen.

3.2.3.2 Zusatzwünsche erfragen

Wichtig ist es, zunächst die Zusatzwünsche zu ermitteln und dann einen Terminvorschlag zu unterbreiten. Denn nur auf der Basis des gesamten Arbeitsumfanges ist eine sinnvolle Terminfindung möglich. Wenn Sie erst zu einem späteren Zeitpunkt im Gespräch nach den Zusatzwünschen fragen, z. B. nachdem Sie bereits einen Termin vereinbarten, so könnte die Nennung von weiteren Arbeiten Ihre gesamte Terminplanung zunichte machen.

Niemand kann erwarten, daß der Kunde von selbst sein gesamtes „Wunschpaket" preisgibt. Das kann verschiedene Gründe haben: Entweder ist in seiner laienhaften Vorstellung die gewünschte Arbeit bereits in dem angemeldeten Auftrag enthalten (*„Das gehört doch bestimmt zu einer Inspektion!"*) oder er geht davon aus, daß eine Nennung der Wünsche am Tage der Auftragsannahme ausreichend sei (*„Das kann ich dem Kundendienstberater dann am Donnerstag noch sagen!"*). Natürlich gibt es auch die „Schlitzohren", die bewußt den vollen Arbeitsumfang am Telefon verschweigen, um einen möglichst kurzfristigen Termin zu erhalten (*„Wenn ich jetzt sage, was an dem Wagen alles zu machen ist, bekomm' ich erst in drei Wochen einen Termin!"*).

Aus den beschriebenen Gründen könnte es sein, daß die Frage nach zusätzlichen Wünschen beim Anrufer auf Unverständnis stößt oder gar als bürokratische Hürde und Auftragsverweigerung empfunden wird. Auch hier ist die Fragenbegründung dann angebracht:

„Darf ich Ihnen zunächst ein paar Fragen stellen, damit ich Ihnen den richtigen Termin anbieten kann?"

„Sie können mir sehr helfen, wenn Sie mir zunächst einige Fragen beantworten. Wir können dann besser Ihren Auftrag vorbereiten."

Hiernach sollte Ihre Frage nach den Zusatzwünschen folgen:

„Gibt es außer den genannten Arbeiten noch Dinge, die wir für Sie ausführen können?"

„Herr Merkel, was können wir darüber hinaus für Sie tun?"

Vermeiden Sie Formulierungen, die den Eindruck erzeugen, daß Ihnen weitere Wünsche des Kunden lästig seien (*„Was gibt es sonst noch?", „Haben Sie noch mehr Wünsche?", „Irgendwelche Zusatzwünsche?"*).

3.2.3.3 Klärung der Terminwünsche und der Rahmenbedingungen

Wir haben bereits die Problematik der „Wann möchten Sie kommen?"-Frage dargestellt. Die Frage nach dem Terminwunsch sollte immer so gestellt sein, daß der Kunde bereits in der Frage erkennt, daß sein Terminwunsch nicht zwangsläufig auch erfüllt werden kann.

„Gibt es Ihrerseits schon bestimmte Terminvorstellungen?"

„Welche Terminwünsche bestehen Ihrerseits?"

„Haben Sie bereits einen bestimmten Termin ins Auge gefaßt?"

So erreichen Sie, daß Ihr anrufender Kunde Ihnen seine Wünsche mitteilt und Sie können nun auf dieser Basis feststellen, ob diese „Wunschvorstellung" realisierbar ist.

Natürlich ist es auch denkbar, daß der Kunde Ihnen jegliche Initiative nach dem Motto „Ich richte mich da ganz nach Ihnen!" überläßt. In diesem Fall ist es durchaus sinnvoll vor der Terminnennung nach Rahmenbedingungen zu fragen.

„Müssen wir uns bei der Terminvereinbarung nach bestimmten Punkten richten?"

„Was müssen wir bei der Terminvereinbarung noch beachten?"

Auch bei komplizierteren Rahmenbedingungen (z. B. Kunde kann nie während der Geschäftszeiten oder nur an einem bestimmten Tag kommen usw.) sollten Sie unbedingt nochmals in der beschriebenen Form nachfragen, da in diesen Fällen weitere Terminkomplikationen sehr wahrscheinlich zu erwarten sind.

Gegebenenfalls sollten Sie vorher auch erfragen, ob der Kunde während des Werkstattaufenthaltes ein Ersatzfahrzeug benötigt. Autohäuser handhaben das sehr unterschiedlich, so daß hierbei immer die betriebliche „Ersatzfahrzeugsituation" berücksichtigt werden muß. Es ist also durchaus möglich, daß der Ersatzfahrzeugwunsch des Kunden wiederum die Terminvereinbarung beeinflussen kann. Dann gilt es, hier vorher zu fragen:

„Herr Niebert, benötigen Sie während des Werkstattaufenthaltes ein Ersatzfahrzeug?"

„Herr Neumann, wir bieten unseren Kunden den besonderen Service eines Ersatzfahrzeuges für die Dauer des Werkstattaufenthaltes gegen eine günstige Kostenpauschale von ... DM. Möchten Sie diesen Service in Anspruch nehmen?"

3.2.3.4 Terminvorschlag und Terminvereinbarung

Der telefonierende Mitarbeiter ist „Chef des Kalenders". Er macht die Termine und trägt deren Folgen in voller Verantwortung. Diese Position darf weder zur Bevormundung à la „Dann oder nie!" verleiten noch dazu verführen, sich Termine „auf's Auge drücken" zu lassen. Fazit: Die Termininitiative muß somit diplomatisch geschickt mittels eines Alternativvorschlages vom Mitarbeiter ausgehen. So bleibt dem Kunden die Entscheidungsfreiheit und Sie behalten die Fäden in der Hand.

„Herr Wilhelm, ich könnte Ihnen den Dienstag oder Donnerstag dieser Woche anbieten. Welcher Tag wäre Ihnen angenehmer?"

„Herr Krause, paßt es Ihnen besser am Donnerstag den Vierzehnten oder wäre Ihnen Montag der Achtzehnte angenehmer?"

Den vom Kunden bevorzugten Termin sollten Sie sodann konkretisieren und einen Überbringungszeitpunkt vereinbaren. Ungenaue Angaben wie „morgen früh", „Donnerstag nachmittag" oder „Im Laufe des Tages" führen zu Mißverständnissen. Achten Sie hierbei bereits auf eine Entzerrung der Andrangzeiten! Wenn alle Kunden des Tages bereits um 7.30 Uhr „auf der Matte stehen" schaffen Sie sich selbst nur Streßsituationen und dem Kunden unangenehme Wartezeiten.

„Herr Urban, würde es Ihnen an dem Tag um 8.30 Uhr passen?"

„Frau Keller, ich nehme an, daß Sie bei der kleinen Inspektion auf die Fertigstellung Ihres Fahrzeuges warten möchten? Dann wäre es sinnvoll, wenn wir einen Termin im Verlauf des Vormittags vereinbaren. Was halten Sie von 10.00 Uhr?"

Bei jedem Terminvorschlag gilt es die Individualität des Kunden und die der Werkstatt zu berücksichtigen. Zeigen Sie auch hier Ihrem Kunden die Vorteile eines bestimmten Termines auf, so daß Sie ihn dadurch überzeugen können.

„Herr Meier, was hielten Sie davon, wenn Sie bereits am Abend vorher Ihr Fahrzeug brächten? Sie könnten in Ruhe nach Ihrem Feierabend bei uns vorbeikommen und hätten am nächsten Morgen nicht den Streß der Fahrzeugüberbringung."

3.2.3.5 Zusammenfassung und Verabschiedung

Auch für die Voranmeldung gilt das Prinzip der Verbindlichkeit und Zweifelsfreiheit. Aus diesem Grund empfiehlt es sich, die getroffene Terminvereinbarung zum Gesprächsabschluß nochmals zu wiederholen.

„Herr Köhler, dann darf ich unsere Vereinbarung nochmal wiederholen: Sie bringen am nächsten Mittwoch, dem 22. Ihr Fahrzeug um 9.00 Uhr zur Zwanzigtausender-Inspektion. Wir kümmern uns um das Bremsenquietschen, waschen Ihren Wagen und nehmen eine Innenreinigung vor. Ist das richtig so?"

Die Wiederholung der einzelnen Arbeitspositionen soll unter anderem dazu beitragen, den Kunden zur Nennung von bisher vergessenen Wünschen zu motivieren.

Ihre Kundenorientierung kann sich auch im Abschluß des Gespräches zeigen. Der mit der Verabschiedung verbundene Dank an den Kunden stimmt ihn positiv auf den Werkstattbesuch ein.

„Ich danke Ihnen für Ihren Anruf. Bis nächsten Donnerstag. Auf Wiederhören."

Zur Vollständigkeit: Die Telefonnummer des anrufenden Kunden, das Kennzeichen des angemeldeten Fahrzeugs oder der gewünschte Fertigstellungstermin, all das sind Punkte, über die gegebenenfalls im Telefonat gesprochen werden muß.

3.2.4 „Herr Mustermann telefoniert!" – Überarbeitetes Gesprächsbeispiel

Sie haben gelesen, wie das Gesprächsverhalten verbessert werden kann. Lassen wir Herrn Klages nochmals mit Herrn Knarr telefonieren und schauen, ob diesmal mehr dabei herauskommt.

A: *„Autohaus Brockheide, Klages, guten Tag."*

B: *„Knarr. Guten Tag. Ich möchte meinen Wagen zur Zwanzigtausender-Inspektion anmelden."*

A: „Ja gern. Knarr ist ihr Name, habe ich das richtig verstanden?.“

B: „Ja, richtig.“

A: „Herr Knarr, zur Zwanzigtausender-Inspektion sagten Sie? Darf ich Ihnen zunächst einige Fragen zu Ihrem Fahrzeug stellen, damit wir danach den richtigen Termin gemeinsam finden werden?“

B: „Ja, gut, wenn das sein muß.“

A: „Sie werden sehen, es wird nicht lange dauern. Herr Knarr, sagen Sie mir bitte, was für ein Fahrzeug Sie fahren?“

B: „Einen Leran S.“

A: „Und wie alt ist ihr Fahrzeug, beziehungsweise, wie ist das Jahr der Erstzulassung?“

B: „Es ist jetzt genau 10 Monate alt.“

A: „Herr Knarr, haben Sie neben der Inspektion noch weitere Arbeiten, die Sie in Auftrag geben möchten?“

B: „Ja. Mir ist da noch in den letzten Tagen so ein Bremsenquietschen aufgefallen.“

A: „In welchen Situationen haben Sie das Quietschen bemerkt? Jedesmal wenn Sie bremsten oder nur unter bestimmten Bedingungen?“

B: „Nein, eigentlich jedesmal beim Bremsen.“

A: „Ja, das hab' ich mir notiert. Können wir noch etwas für Sie tun? Ist Ihnen noch etwas am Fahrzeug aufgefallen?“

B: „Ja, Sie könnten gleich mal den Wagen waschen und eine Innenreinigung vornehmen.“

A: „Das werden wir gerne für sie tun. Ja, Herr Knarr dann sollten wir nur noch einen gemeinsamen Termin finden. Gibt es Ihrerseits schon bestimmte Terminwünsche oder Terminvorstellungen und müssen wir uns nach etwas Besonderem bei der Terminvereinbarung orientieren?“

B: „Ja, ich kann immer erst nach 14 Uhr meinen Wagen bringen, da ich täglich in der Frühschicht arbeite.“

A: „Prima, daß Sie mir das sagen. Der Wochentag ist Ihnen gleich?“

B: „Ja, weitgehend schon.“

A: *„Gut Herr Knarr, dann schlage ich Ihnen vor, daß Sie uns am nächsten Dienstag, den 22. das Fahrzeug gleich um 14 Uhr bringen, damit wir es noch am selben Tag fertigstellen können und sie schnellstmöglich wieder mobil sind. Oder würde es Ihnen am Donnerstag um die gleiche Zeit besser passen?"*

B: *„Nein, Dienstag ist schon okay. Und ich bekomm den Wagen am selben Tag auch wieder?"*

A: *„Wenn keine weiteren Arbeiten auszuführen sind, denke ich schon. Oder fällt Ihnen noch etwas ein?"*

B: *„Nein, nicht daß ich wüßte."*

A: *„Prima Herr Knarr, dann darf ich unsere Vereinbarung nochmal wiederholen: Sie bringen am nächsten Dienstag, den 22. Ihr Fahrzeug um 14 Uhr zur Zwanzigtausender-Inspektion. Wir kümmern uns um das Bremsenquietschen, waschen Ihren Wagen und nehmen eine Innenreinigung vor. Ist das richtig so?"*

B: *„Bestens!"*

A: *„Dann bedanke ich mich für Ihren Auftrag. Ich werde am Dienstag für Sie da sein, wie gesagt, mein Name ist Klages, Bernd Klages, ich bin der Kundendienstberater in unserem Haus. Sprechen Sie mich doch bitte am Dienstag an."*

B: *„Gut, werde ich machen. Vielen Dank und auf Wiederhören."*

A: *„Auf Wiederhören Herr Knarr."*

3.3 „Ich wollte mal fragen, ob wir das gleich mitmachen sollen?" – Die Auftragserweiterung mit System und guten Argumenten

Als Werkstattmeister oder Kundendienstberater kennen Sie das: Da steht irgendwann im Verlauf des Tages plötzlich und unerwartet der Mechaniker vor Ihnen und berichtet von den am Fahrzeug des Kunden entdeckten Mängeln. Dabei hatte der Kunde seinen Wagen ja „nur" zur Inspektion gebracht und mit keinen weiteren Reparaturen gerechnet. Und nun dieses! Ganz klar, Sie benötigen die Zustimmung des Kunden und das heißt, der Kunde muß angerufen und von der Notwendigkeit der Werkstattarbeit überzeugt werden. Doch wie sagen Sie es Ihrem Kunden, gerade wo dieser am Morgen noch davon sprach, „die Sache aber nicht so teuer" werden zu lassen?

A: *„Kresel."*

B: *„Müller, Tag Frau Kresel. Die 40 000-km-Inspektion haben wir so weit. Und jetzt haben wir noch festgestellt, daß die Stoßdämpfer defekt sind. Die sind verölt. Ich wollte Sie fragen, ob wir das gleich mitmachen sollen?"*

A: *„Wie kann denn so etwas sein, mein Auto ist doch noch keine drei Jahre alt? Mir ist auch noch gar nichts aufgefallen. Ist das denn wirklich notwendig?"*

B: *„Wenn es nicht notwendig wäre, hätte ich Sie nicht angerufen! Ja und wie das kommen soll? Das sind halt Verschleißteile und irgendwann sind die dann hinüber. Da steck' ich auch nicht drin, das ist eben so."*

A: *„Ich pflege doch mein Auto und 40 000 km bin ich erst damit gefahren."*

B: *„Gut, trotzdem sind die Stoßdämpfer verölt, da kann man nichts machen."*

A: *„Und wieviel würde die Reparatur kosten?"*

B: *„Das sind ungefähr 600,– DM."*

A: *„Wieviel?"*

B: *„Ja, das ist halt so. 600,– DM, unter dem kriegen Sie das nirgends!"*

A: *„Das ist mir zu teuer. Nee, dann lassen Sie die Sache mal."*

B: *„Wie Sie wollen, das ist Ihre Entscheidung. Ich wollte Sie ja auch nur fragen. Aber kommen Sie nicht hinterher und sagen, wir hätten es Ihnen nicht gesagt. Na dann, Ihr Wagen ist abholbereit. Auf Wiederhören."*

A: *„Auf Wiederhören."*

Von System und guten Argumenten war da nicht viel zu spüren und dennoch ein Beispiel aus der Praxis. „Friß oder stirb!", von diesem Motto muß Herr Müller geleitet worden sein, als er dieses Telefonat führte. Hier wurden der Kundin kompromißlos Tatsachen entgegengeschleudert, weder Erklärungen über die Verursachung noch Nutzenargumente genannt. Das klappt manchmal, aber auch wenn es klappt, trägt dieser Stil keineswegs zur Vertrauensvertiefung im Kundenkontakt bei.

3.3.1   „Es lacht der Umsatz!" – Ziele der Auftragserweiterung

Auftragserweiterungen gehören zur täglichen Arbeit im Kundendienst, sie sind aber mehr als Routinegespräche, in denen man eben mal fragt, ob dies oder jenes gleich mit gemacht werden soll. Es geht grundsätzlich darum, den bei Auftragsannahme besprochenen Auftragsrahmen zu erweitern und die Zustimmung zu den empfehlenswerten oder notwendigen Zusatzarbeiten vom Kunden zu bekommen.

Das Telefonat zur Auftragserweiterung ist ein Verkaufs-und Beratungsgespräch, welches drei Ziele berücksichtigen muß.

1. Ziel: Die Zufriedenheit des Kunden.

2. Ziel: Den Leistungsverkauf der Werkstatt.

3. Ziel: Die rechtliche Absicherung.

Auch wenn die Kundenzufriedenheit unser oberstes Ziel ist, wollen wir uns zunächst den rechtlichen Hintergrund und die Werkstattseite näher betrachten.

3.3.1.1   Der rechtliche Hintergrund einer Auftragserweiterung

In einem Werkvertrag, der ja bekanntlich im Falle eines Werkstattauftrages entsteht, ist eine einseitige Veränderung der Vertrages – z. B. durch eine Erweiterung – ohne Zustimmung des Vertragspartners nicht möglich. Im Klartext heißt das: keine Erweiterung des Auftrags ohne Zustimmung des Kunden! Wer dennoch anders handelt, sollte sich im klaren darüber sein, daß er damit nicht nur gegen die Kundenzufriedenheit, sondern auch mit einem finanziellen Risiko arbeitet. Um diesen rechtlichen Bedingungen zu entsprechen, muß jede Auftragserweiterung schriftlich im Auftrag festgehalten werden. Am besten verwenden Sie Auftragsformulare, die bereits einen entsprechenden Eintrag vorsehen.

Also Datum, Uhrzeit, Gesprächspartner, Umfang der Arbeiten, angegebene Kosten und der neue Fertigstellungstermin müssen hier notiert werden. Der Tip: Zumindest im Bereich der gewerblichen Kunden erfreut sich das Telefax einer immer größeren Beliebtheit. Bestätigen Sie telefonisch verabredete Auftragserweiterung per Fax und Sie machen dadurch den Auftrag „wasserdicht".

3.3.1.2 Der Leistungsverkauf der Werkstatt

Auftragserweiterungen zwingen zum Handeln, denn sie stellen Veränderungen der geplanten Abläufe in Werkstatt und Kundendienst dar. Natürlich sind diese Unterbrechungen nicht immer kalkulierbar, ihre Anzahl ist jedoch reduzierbar. Eine ausführliche Diagnose am Fahrzeug – gemeinsam mit dem Kunden bei Auftragsannahme – kann die Anzahl und das Ausmaß der Auftragserweiterungen auf ein Minimalmaß beschränken. Dennoch wird es auch bei noch so perfekter Auftragsannahme immer Auftragserweiterungen geben, denn viele zusätzliche Arbeiten ergeben sich erst im Verlauf einer Wartung oder Reparatur.

Selbstverständlich weiß auch jeder Kunde, daß die Werkstatt nach wirtschaftlichen Gesichtspunkten arbeitet. Wer kann es dem Autohaus da verdenken, die Auftragserweiterung als Mittel des Leistungsverkaufes zu nutzen? Kfz-Betriebe benötigen ausgelastete Werkstätten, um wirtschaftlichen Erfolg zu erzielen. Werkstattumsätze stellen sich nicht von allein ein und somit geht es nicht ohne verkäuferische Aktivitäten. Natürlich muß auch das gesehen werden: Inspektionen sind keine Reparaturbeschaffungsmaßnahmen und Reparaturen keine Sanierungsaktionen eines Autohauses.

3.3.1.3 Die Zufriedenheit des Kunden

Die Kundenzufriedenheit hat auch im Auftragserweiterungstelefonat erste Priorität. Der Vertrauensvorschuß, den der Kunde uns durch sein Kommen gibt, darf nicht leichtfertig durch halbherzige Werkstattarbeit auf's Spiel gesetzt werden. Der Kunde erwartet zu Recht das frühzeitige Erkennen von Mängeln und Schäden, natürlich auch deren Beseitigung, aber er will vorher gefragt werden. Nichts ist ärgerlicher und vertrauensbrechender für den Kunden als die Entdeckung eines Mangels durch ihn selbst, nachdem der Wagen in der Werkstatt war. Dienstleistung heißt auch Entlastung von weiteren und zusätzlichen lästigen Werkstattbesuchen. Darum gilt es unter anderem, durch die Auftragserweiterung dem Kunden zu zeigen, daß sein Wagen in seinem Interesse gründlich „unter die Lupe" genommen wurde und Mängel frühzeitig und damit kostengünstig erkannt wurden. Auftragserweiterungen sind somit Vertrauensbeweise an den Kunden und Zeichen der eigenen Fachkompetenz. Dennoch können Sie nicht erwarten, daß der Kunde Ihre Botschaft mit frohem Herzen aufnimmt und widerstandslos seine Zustimmung gibt. Aus diesem Grund müssen in jedem dieser Telefonate drei Punkte besonders berücksichtigt werden.

1. Der Überraschungseffekt: Der Kunde ahnt nichts von der notwendig gewordenen Arbeit. Er bemerkte bisher keine Veränderung oder er hielt kleine Auffälligkeiten für unbedeutsam. Somit konnte er die zusätzlichen Kosten noch nicht einplanen.

2. Der Laieneffekt: Das Verständnis für die Notwendigkeit der Arbeit wird durch Technikunkenntnis des Kunden einerseits und durch die eingeschränkte Erklärungsmöglichkeit am Telefon andererseits erschwert.

3. Die Glaubwürdigkeitszweifel: Der Kunde kann sich jetzt am Telefon nicht von dem Mangel überzeugen. Er muß dem Anrufer „blind" vertrauen. Diese vermeintliche Nicht-Überprüfbarkeit kann bei ihm das Gefühl des Ausgeliefertseins entstehen lassen. Hinzu kommt das häufig anzutreffende Mißtrauen gegenüber der Werkstatt und den von ihr erbrachten Leistungen.

Diese drei Punkte zeigen sich in vielen Auftragserweiterungsgesprächen, so auch in unserem Eingangsbeispiel. Frau Kresel sagte dort unter anderem:

„Wie kann denn so etwas sein, mein Auto ist doch noch keine drei Jahre alt?"

„Mir ist auch noch gar nichts aufgefallen. Ist das denn wirklich notwendig?"

„Ich pflege doch mein Auto und 40 000 km bin ich doch erst damit gefahren."

3.3.2 „Mit der Brechstange geht's schief!" – Häufige Fehler bei Auftragserweiterungen

Trotz der Bedeutsamkeit der telefonischen Auftragserweiterung für den Leistungsverkauf der Werkstatt wird sie noch vielerorts stiefmütterlich gehandhabt.

Einige typische Fehler treten immer wieder auf:

1. Fehler: Die Ausführung der Arbeiten erfolgt ohne Kundenzustimmung.

2. Fehler: Es erfolgt keine oder eine nur unzureichende Gesprächsvorbereitung.

3. Fehler: Der Kunde kann telefonisch nicht erreicht werden.

3.3.2.1 Die Ausführung der Arbeiten erfolgt ohne Kundenzustimmung

Leider ist dies noch recht oft in der Praxis anzutreffen. Ob aus Unkenntnis der Rechtslage oder einfach nur aus Unbekümmertheit werden Arbeiten am Kundenfahrzeug ausgeführt, ohne sich vorher der Zustimmung des Kunden vergewissert zu haben. Das muß nicht, kann aber schiefgehen. Auch wenn es keinen Streit gibt: übrig bleibt ein negativer Beigeschmack auf der „Dienstleistungszunge" des Kunden.

3.3.2.2 Es erfolgt keine oder eine nur unzureichende Gesprächsvorbereitung

„Der Mechaniker schreit und der Meister greift zum Hörer!", von diesem Handlungsmuster lassen sich manche Kundendienstmitarbeiter leiten und nennen das dann reibungslose Werkstatt- und Arbeitsorganisation. Wer spontan zum Hörer greift, ohne sich vorher nach Teileverfügbarkeit erkundigt und die entstehenden Kosten kalkuliert zu haben, der handelt sträflich. Wer nicht vorher wenigstens kurz überlegt, wie er die Sache seinem Kunden am besten „beibringt", der handelt leichtsinnig oder mit großer Selbstüberschätzung. „Eine Minute Konzentration!", so sollte das Motto vor jedem Telefonat zur Auftragserweiterung lauten.

3.3.2.3 Der Kunde kann telefonisch nicht erreicht werden.

Nun mögen Sie einwenden, daß das ja nun wahrlich nicht ein Fehler der Werkstatt sei. Ein Fehler sicherlich nicht, aber vielleicht eine kleine Nachlässigkeit? Denn viel zu selten wird der Kunde bei Auftragsannahme nach seiner telefonischen Erreichbarkeit gefragt oder zumindest ein Anruf seinerseits für den Verlauf des Tages vereinbart. Beides kann sehr wohl das Erreichbarkeitsproblem verkleinern.

3.3.3 „Eine Minute Konzentration!" – Der rote Faden einer Auftragserweiterung

Wenn Sie sich in die Situation des Kunden hineinversetzen, dann wird es Ihnen nicht schwerfallen sich vorzustellen, welche Informationen der Kunde im Telefonat benötigt bzw. was bei diesem Telefonat berücksichtigt werden sollte.

Die Praxis zeigt, daß der Kunde in der Regel folgende Fragen beantwortet sehen möchte:

102

1. Kundenfrage: Warum werde ich vom Autohausmitarbeiter angerufen?

2. Kundenfrage: Welche Arbeiten müssen zusätzlich ausgeführt werden?

3. Kundenfrage: Warum sind diese Arbeiten auszuführen und welche technische Notwendigkeit steckt dahinter?

4. Kundenfrage: Welchen Nutzen habe ich als Kunde davon?

5. Kundenfrage: Wie ist es zu diesem Defekt gekommen?

6. Kundenfrage: Was kann geschehen, wenn die Arbeit jetzt nicht ausführt wird?

7. Kundenfrage: Wieviel Kosten wird die Zusatzarbeit verursachen?

8. Kundenfrage: Wann wird der Wagen fertiggestellt sein?

Auf diese Fragen sucht der Kunde klare und verständliche Antworten. Je mehr dieser Antworten Sie ungefragt geben können, desto eher wird der Kunde Sie als kompetenten und mitdenkenden Gesprächspartner akzeptieren. Darum gilt es, jede Auftragserweiterung vor dem Telefonat zu überdenken und entsprechend vorzubereiten.

Für die Auftragserweiterung ergibt sich daher folgende Empfehlung zur Gesprächsstrukturierung:

Gesprächsleitfaden Auftragserweiterung

1. Schritt: Situationsbeschreibung (Einstieg).

2. Schritt: Technische Erklärung (Information).

3. Schritt: Nutzenargumentation.

4. Schritt: Preisargumentation.

5. Schritt: Handlungsfolgen aufzeigen und dabei dem Kunden die Entscheidungsfreiheit belassen, gegebenenfalls Alternativen aufzeigen.

6. Schritt: Einwandbehandlung.

7. Schritt: Zustimmung herbeiführen.

8. Schritt: Ergebnisabsicherung.

3.3.3.1 Situationsbeschreibung

Der Gesprächseinstieg sollte klar und deutlich sein. Der Angerufene muß gleich von Gesprächsbeginn an wissen, wer ihn anruft und worum es geht. Weitschweifige oder komplizierte Gesprächseinstiege verunsichern nur. Sollte sich mehr als eine Zusatzarbeit ergeben, so empfiehlt es sich, bereits jetzt auf die Gesamtzahl der zusätzlichen Arbeiten kurz hinzuweisen. Andernfalls, wenn Sie nach der „Salamitaktik" vorgingen, entstünde beim Kunden der Eindruck der Übervorteilung.

„Im Rahmen der Inspektion haben wir zwei Dinge festgestellt, die ich mit Ihnen besprechen möchte ..."

3.3.3.2 Technische Erklärung (Information)

Der Kunde muß die Überraschung verkraften können. Haben Sie also Geduld, wenn der Kunde nicht so schnell ja sagt, wie Sie es gerne hätten. Er benötigt umfassende und verständliche Informationen über die notwendigen Arbeiten, um Vertrauen zu Ihnen und Ihren Aussagen entwickeln zu können. Bieten Sie dem Kunden gegebenenfalls an, sich persönlich vom Schaden vor Ort zu überzeugen. Fragen Sie ihn auch, ob er weitere technische Informationen von Ihnen wünscht.

„Da ist zunächst einmal der linke hintere Stoßdämpfer Ihres Fahrzeuges, der leckt, d. h. es treten kleinere Mengen Öl aus, die die Funktionsfähigkeit dieses Stoßdämpfers beeinträchtigen können."

3.3.3.3 Nutzenargumentation

Sie haben bereits im Kapitel 1.3.3 über die Bedeutsamkeit der Nutzenargumentation gelesen. Wie für jeden Überzeugungsvorgang, so gilt auch für die Auftragserweiterung: der Kunde will seinen Nutzen sehen! Es bietet sich oft an, mit Sicherheits- und Kosteneinsparungsargumenten zu „arbeiten". Weisen Sie, wenn möglich, auf Verbundarbeiten oder auf die Reduzierung der Umstände durch Vermeidung eines weiteren Werkstattbesuches hin.

„Sie erhalten damit Ihre aktive Fahrsicherheit und können beruhigt auch in kritischen Verkehrssituationen reagieren. Bedenken Sie bitte auch, daß Sie sich damit einen weiteren Werkstattbesuch ersparen."

3.3.3.4 Preisargumentation

Verständlich, daß der Kunde wissen will, welche weiteren Kosten durch die Auftragserweiterung entstehen. Klare Kostenangaben gehören daher in jede

Auftragserweiterung. Empfehlenswert sind getrennt genannte Teile- und Lohnkosten, die dann zu einer Komplettpreisnennung zusammengefügt werden. Vergessen Sie hierbei nicht die Nennung der Mehrwertsteuer! Zu knappe Preisangaben verärgern den Kunden, wenn die am Telefon genannte Summe später nochmals übertroffen wird. Da freut er sich schon eher, wenn er etwas weniger als erwartet „berappen" muß. Außerdem ist es auch sinnvoll, deutlich darauf hinzuweisen, daß die Kosten der Zusatzarbeit zu den bereits bei Auftragsannahme vereinbarten Inspektions- oder Reparaturkosten hinzukommen.

„Wenn wir die Reparatur jetzt ausführen, würden Kosten in Höhe von 250,– DM – neben den Kosten der Inspektion – auf Sie zukommen. Da es sich um eine Verbundarbeit handelt, entstehen zum jetzigen Zeitpunkt geringere Kosten als bei einer späteren Ausführung."

3.3.3.5 Handlungsfolgen aufzeigen und Entscheidungsfreiheit lassen

Es empfiehlt sich, dem Kunden die technischen Folgen der Nicht-Ausführung aufzuzeigen. Zeichnen Sie ein realistisches Bild dieser Folgen, ohne Übertreibungen und „Bangemachen". Geben Sie dem Kunden – wann immer möglich – das Gefühl der Entscheidungsfreiheit. Wenn Sie ihn kompromißlos vor Tatsachen stellen, wird er Widerstände entwickeln und Sie müssen später weitaus mehr Überzeugungsenergie einsetzen. Auch wenn es Ihnen als Techniker manchmal schwerfällt einzusehen, warum der Kunde nicht sofort auch von den blanken Tatsachen überzeugt wird, haben Sie Geduld mit ihm. Zeigen Sie ihm darüber hinaus Alternativen auf!

„Natürlich könnten Sie mit dem Wagen so noch einige Zeit fahren. Doch eine Schädigung der Bremsscheiben wäre nicht auszuschließen. Daneben empfehle ich Ihnen, auch Ihre Fahrsicherheit zu berücksichtigen, die dadurch stark gefährdet wäre. Stellen sich nur einmal eine Situation auf regennasser Straße vor, in der Sie eine Vollbremsung machen müßten."

3.3.3.6 Einwandbehandlung

Rechnen Sie mit den Einwänden des Kunden, denn er wird sie aus den oben beschriebenen Gründen (Überraschung, Laie, Glaubwürdigkeitszweifel) heraus ganz sicher haben. Zeigen Sie Verständnis für diese Einwände und bedenken Sie, daß Einwände auch Zeichen eines vorhandenen Interesses sind. Einwände sind kleine Steine, die auf dem Weg zur Zustimmung weggeräumt werden müssen. Der Telefonprofi paßt auf, daß diese Steine nicht zu Stolpersteinen werden.

„Herr Kunde, ich kann es nachvollziehen, wenn Sie sagen, Ihnen sei bisher nichts am Fahrzeug aufgefallen. Bedenken Sie jedoch bitte ..."

3.3.3.7 Zustimmung herbeiführen

Natürlich ist unser Ziel das „Ja" des Kunden. Dies zügig herbeizuführen, gehört mit zu den Aufgaben einer professionellen Auftragserweiterung. Der „Königsweg" ist die Zustimmung, die vom Kunden selbst ausgeht. Und auch hier gilt: Fragen führen zum Ziel. Fragen Sie Ihn, ob er mit dem beschriebenen Vorgehen einverstanden ist. Nennen Sie dem Kunden jedoch zuvor eventuelle Terminverschiebungen der Fertigstellung, da diese in die Entscheidungsfindung mit einfließen können.

„Herr Kunde, dürfen wir dann die Arbeiten in der beschriebenen Form ausführen und damit den Auftrag entsprechend erweitern? Der vereinbarte Abholungstermin könnte so bestehen bleiben."

3.3.3.8 Ergebnisabsicherung

Bevor Sie das Gespräch beenden, empfiehlt es sich, nochmals die besprochenen Vereinbarungen kurz zusammenzufassen. Dies vermeidet Mißverständnisse und führt zu eindeutigen Vereinbarungen. Übrigens sollte der Dank zum Abschluß nicht fehlen, denn schließlich hat der Kunden Ihrem Haus einen zusätzlichen Auftrag erteilt.

„Herr Kunde, ich darf nochmals kurz zusammenfassen: Wir werden die Bremsen neubelegen, die Wischergummis ersetzen und das Scheinwerferglas vorne links erneuern. Der vereinbarte Abholungstermin, 17.00 Uhr, verschiebt sich um eine halbe Stunde auf 17.30 Uhr. Herzlichen Dank für Ihren Auftrag."

3.3.4 „Herr Mustermann telefoniert!" – Überarbeitetes Gesprächsbeispiel

Kehren wir nochmals zu userm Eingangsbeispiel zurück. Sie erinnern sich: Herr Müller hatte Frau Kresel angerufen, um Ihr mitzuteilen, daß die Stoßdämpfer an Ihrem Fahrzeug, welches sie zur 40 000-km-Inspektion gebracht hatte, defekt seien und erneuert werden sollten. Wir haben das Telefonat nach den Prinzipien der Auftragserweiterung überarbeitet. Versuchen Sie die dargestellten Gesprächsführungsprinzipien in diesem Beispiel nachzuvollziehen.

A: *„Kresel!"*

B: *„Guten Tag, Frau Kresel, hier ist das Autohaus Lange, Klaus Müller am Apparat."*

A: „Guten Tag, Herr Müller. Was gibt es denn?"

B: „Frau Kresel, Sie hatten heute morgen Ihren Wagen zur 40 000 km-Inspektion gebracht. Im Rahmen der Inspektionsarbeiten haben wir noch einen Defekt entdeckt, über den ich gern mit Ihnen sprechen möchte. Haben Sie einen Moment Zeit?"

A: „Ja, natürlich. Aber was ist denn los? Mein Wagen war doch völlig in Ordnung?"

B: „Kein Grund zur Besorgnis, Frau Kresel. Wir haben festgestellt, daß der hintere rechte Stoßdämpfer leckt. Darf ich Ihnen das einmal näher erläutern?"

A: „Selbstverständlich."

B: „Mit dem Stoßdämpfer verhält es sich folgendermaßen: Sie haben Öldruckstoßdämpfer in Ihrem Fahrzeug und aus einem dieser Stoßdämpfer – hinten rechts – tritt ein wenig Öl aus."

A: „Was bedeutet das für mich?"

B: „Nun, im Moment hat das noch keine gravierenden Folgen und Sie haben da sicherlich noch nichts bemerkt, da sich der Schaden noch im Anfangsstadium befindet. Doch diese Undichtigkeit wird sich verstärken und dadurch wird Ihre Fahrsicherheit beeinträchtigt, das heißt, es wird mehr Öl austreten und die Funktionsfähigkeit des Stoßdämpfers wird dann beeinträchtigt. In einem späteren Stadium hätte Ihr Fahrzeug nicht mehr die sichere Straßenlage. Die Reparatur wäre somit eine wichtige Maßnahme zur Vorbeugung und damit zur Vermeidung von weiteren Schäden."

A: „Was kann man denn da machen? Geht das noch zu reparieren?"

B: „Wir müßten diesen Stoßdämpfer austauschen und gleichzeitig den zweiten Stoßdämpfer an der gleichen Achse mit erneuern. Das mag für Sie zunächst unverständlich klingen, aber ist aus technischen Gründen erforderlich, da nur ein paarweises Auswechseln der Stoßdämpfer eine sinnvolle Abhilfe schafft. Wissen Sie, wenn wir nur einen wechseln würden, dann wäre das so, als würden Sie mit einem frisch besohlten und einem abgelaufenen Schuh herumlaufen. Ihr Gang würde sich dadurch auch verändern. Und mit den Stoßdämpfern verhält es sich ähnlich. Wenn ich noch etwas hinzufügen darf: Darüber hinaus bewahrt Sie diese Reparatur vor einem frühzeitigen Reifenverschleiß, der unweigerlich auftreten würde, wenn wir da jetzt nichts unternehmen würden."

A: „Wie Sie das sagen, da versteh' ich das schon. Aber sagen Sie mal, der Wagen ist doch erst drei Jahre alt, ist das nicht ein wenig früh, wenn da jetzt solch ein Schaden auftritt? Wie kann denn so etwas passieren?"

B: „Ihre Frage verstehe ich sehr gut, Frau Kresel. Solche Schäden können verschiedene Ursachen haben. Das kann einerseits am Alter eines Stoßdämpfers liegen, was bei Ihrem Fahrzeug jedoch weitgehend auszuschließen ist, andererseits hängt das auch mit den Einsatz- und Straßenbedingungen zusammen. Müssen Sie denn häufig auf schlechten Straßen fahren?"

A: „An sich nicht, aber ich war im Sommer im Süden und bin dort viel auf Nebenstrecken herumgefahren. Kann das damit in Zusammenhang stehen?"

B: „Das könnte durchaus der Grund sein."

A: „Und was würde wird mich denn der Spaß kosten?"

B: „Ich habe die Kosten bereits zusammengestellt. Das Paar Stoßdämpfer beläuft sich auf 380,– DM und die Lohnkosten auf 100,– DM. Hinzu käme die Mehrwertsteuer, so daß an Mehrkosten 550,– DM für Sie entstünden. Für die Inspektion hatten wir bereits heute morgen den Betrag von 350,– DM verabredet, so daß die Gesamtkosten sich auf 900,– DM belaufen."

A: „Das ist ja nicht gerade wenig."

B: „Sicher nicht Frau Kresel, aber es ist ein gut angelegter Betrag. Bedenken Sie auch, daß Ihnen dadurch ein späterer weiterer Werkstattbesuch erspart wird und das es jetzt für Sie kostengünstiger kommt, da sich einige Arbeiten mit den Inspektionsarbeiten überschneiden. Einmal ganz abgesehen von den Gefahren, die bei Nicht-Ausführung entstünden."

A: „Das ist nun auch wieder richtig."

B: „Frau Kresel, sollen wir die Arbeit in der besprochenen Form ausführen?"

A: „Ja, es muß ja wohl sein."

B: „Gut, dann werden wir die beiden hinteren Stoßdämpfer erneuern. Ihr Fahrzeug wird zu der verabredeten Zeit, um 17.00 Uhr fertig sein und wir sprachen über einen Gesamtrechnungsbetrag von 900,– DM."

A: „Ja."

B: „Frau Kresel, ich bedanke mich für Ihren Auftrag. Bis 17.00 Uhr dann. Auf Wiederhören."

A: „Auf Wiederhören!"

Auftragserweiterungen mit System und guten Argumenten herbeizuführen, das sollte Ziel eines jeden sein, der mit dieser Aufgabe im Betrieb betraut wurde. Insgesamt ist die Auftragserweiterung ein partnerschaftlicher Vorgang, um Kunden zufriedenzustellen und die Leistungen der Werkstatt zu verkaufen. Doch diese Ziele können sich nur einstellen, wenn das Gespräch gut vorbereitet und strukturiert geführt wird.

3.4 „Sie wundern sich wahrscheinlich, daß ich Sie anrufe!" – Die telefonische Zufriedenheitsnachfrage im Kundendienst des Autohauses

Kunden wollen umworben werden, das gibt ihnen das Gefühl der Geltung. Wer im täglichen Kundenkontakt steht, der weiß das. Doch die Mittel und Wege der Kundenorientierung sind vielfältig. Wer das Telefon hierbei professionell einsetzt, der nutzt die Möglichkeit der telefonischen Zufriedenheitsnachfrage, d. h. er ruft den Kunden nach dem Werkstattbesuch an und erkundigt sich danach, ob die Serviceleistungen des Betriebes den Kundenerwartungen entsprachen. Dieses Thema ist ein „heißes Eisen" für einige Kundendienstmitarbeiter. Hier erhitzen sich so manche Gemüter und die vielfältigen Einwände gegen diese Anrufe reichen von „Was soll ich denn noch alles machen?" bis hin zu „Damit verunsichert man doch nur den Kunden, der denkt doch gleich wir hätten Pfusch gemacht!" Sicher sind diese Einwände nicht ganz aus der Luft gegriffen. Zufriedenheitsnachfragen kosten Zeit und können – sofern sie nicht richtig ausgeführt werden – zur Verunsicherung des Kunden führen.

A: *„Klugmann."*

B: *„Autohaus Bernd, Klee, Tag Herr Klugmann."*

A: *„Tag Herr Klee, was verschafft mir die Ehre Ihres Anrufs?"*

B: *„Ja, wissen Sie Herr Klugmann, Sie waren doch gestern bei uns in der Werkstatt zur Inspektion."*

A: *„Natürlich, Sie haben mir doch gestern nachmittag den Wagen selbst zurückgegeben."*

B: *„Genau, wissen Sie ... ja, wie soll ich das sagen ... nun ja, wir wollten Sie heute deswegen mal anrufen und fragen ..."*

A: *„Ist mit meinem Wagen irgendetwas nicht in Ordnung?"*

B: *„Doch, doch! Nur, wir wollten Sie fragen, ob Sie mit unserer Arbeit zufrieden waren und ob alles okay ist."*

A: *„Bis jetzt habe ich noch nichts bemerkt. Ich werde das Gefühl nicht los, daß Sie irgendeinen Murks an meinem Wagen gemacht haben. Nun spucken Sie's schon aus, was ist passiert?"*

B: *„Wirklich nichts Herr Klugmann, ehrlich. Ich wollte Sie wirklich nur fragen, ob Sie zufrieden waren. Mehr nicht!"*

A: *„Ja, ja! Ich war zufrieden, bis jetzt."*

B: „*Prima, dann danke ich Ihnen für die Auskunft und wünsche Ihnen noch einen schönen Tag. Bis demnächst mal. Tschüs Herr Klugmann.*"

A: „*Tja, dann auf Wiederhören.*"

Sicher kein Wunder, wenn ein Kundendienstberater nach einem solchen Telefonat den „Das bringt doch nichts"-Entschluß faßt und wenn den Kunden das „Da stimmt doch was nicht"-Gefühl beschleicht. Diese Telefonate müssen mit Bedacht ausgeführt werden, um sie zu einem Erfolg werden zu lassen.

3.4.1 „Und was hab' ich nun davon?" – Ziele der telefonischen Zufriedenheitsnachfrage

Die Zielsetzung einer Zufriedenheitsnachfrage im Kundendienst ist vielschichtig: Einerseits soll sie versteckte Unzufriedenheiten aufdecken und damit einer negativen Imageentwicklung vorbeugen. Andererseits soll sie dem Kunden das Gefühl der Wichtigkeit geben, seine Bindung zum Haus durch die Zufriedenheitsfestigung stärken.

3.4.1.1 Kleine Unzufriedenheiten frühzeitig beseitigen

Leider sind unsere Kunden nicht immer so zufrieden, wie wir selbst glauben. Viele Kunden protestieren stumm. Kleine Unzufriedenheiten führen nur selten zu Rückmeldungen durch den Kunden. Die zu lange Wartezeit bei Auftragsannahme, die Muffeligkeit eines Mitarbeiters oder die 2,30 DM für Klein- und Reinigungsmaterial auf der Werkstattrechnung sind zwar typische Unzufriedenheitsauslöser, führen aber beim Kunden nur selten zum offenen Protest. Kunden drücken solche kleinen Ärgernisse anders aus: sie knurren das „Wiedersehen!" oder verlassen unseren Betrieb mit einem „Pokerface". Nur in wenigen Fällen werden solche „versteckten" Unzufriedenheiten von uns bewußt wahrgenommen. Machen wir es als Kunden nicht selbst häufig so? Wer ersparte sich zum Beispiel nicht schon nach einem wenig berauschenden Mittagessen im Restaurant die offene Kritik an der Qualität des Mahles und antwortete statt dessen mit einem knappen „Ja!" auf die Frage des Obers, ob das Essen geschmeckt habe?

Unangenehm wird es, wenn die Unzufriedenheiten dann noch nach außen getragen werden, wenn am abendlichen Stammtisch oder auf der nächsten Sitzung des Vereins über den Kleinärger mit der Autowerkstatt diskutiert wird. Dann weiß es jeder im Ort, nur einer nicht: der Kfz-Betrieb. Kleine Unzufriedenheiten des Kunden können somit große Folgen haben. Natürlich können sich diese kleinen Unzufriedenheiten auch summieren und aufstauen. Da bedarf es dann manchmal nur eines kleinen „Stein des Anstoßes" und der Kunde poltert los

111

oder – was noch schlimmer ist – er geht stumm und ward nimmer mehr bei uns gesehen.

> Telefonische Zufriedenheitsnachfragen können uns im Kundendienst helfen, die kleinen Unzufriedenheiten frühzeitig zu erfahren und ihnen rechtzeitig entgegenzutreten. Man entdeckt so Schwachstellen im Betrieb und bekommt Anregungen zur Leistungsverbesserung. Zufriedenheitsnachfragen haben medizinischen Charakter: Kleine Wunden heilen schneller und vernarben nicht.

3.4.1.2 Die Kontaktchance und die Aufwertung des Kunden

Verbesserte Fahrzeugqualitäten und verlängerte Inspektionsintervalle führen mehr und mehr zur Kontaktarmut zwischen dem Kunden und der Werkstatt. Wie will man heute noch eine persönliche Beziehung zu einem neuen Kunden aufbauen, wenn sein Fahrzeug ihn nur noch maximal einmal pro Jahr in unser Haus führt? Wer nicht gerade im kleinstädtischen Bereich seine Kunden aus den unvermeidbaren täglichen Kontakten kennt, hat es schwer, echte „Stammkundenbeziehungen" aufzubauen. Wer seine Kunden nicht beim Friseur, beim Kaufmann oder in der Kneipe an der Ecke trifft, muß andere und neue Wege gehen! „Jede Kontaktchance nutzen!" heißt somit die Devise des Kundendienstes der Zukunft. Der Werkstattbesuch und die Zeit danach ist eine solche Kontaktchance. Der Anruf beim Kunden ermöglicht es somit auch, die zwischenmenschlichen Beziehungen zu vertiefen.

Hierzu gesellt sich noch ein weiterer Vorteil der Zufriedenheitsnachfrage: die Aufwertungsmöglichkeit. Jeder Mensch freut sich, wenn man ihm das Gefühl der Wichtigkeit gibt; das entspricht einem ganz normalen Bedürfnis der Anerkennung. Wer als Kunde nach seiner Meinung gefragt wird, bekommt dieses Gefühl der Wichtigkeit. Beobachten Sie einmal Fernsehsendungen, in denen der „Mann auf der Straße" gefragt wird. Voller Stolz verkünden dort die Befragten ihre Meinung. Warum sollten wir nicht das Mikrophon durch den Telefonhörer ersetzen?

3.4.1.3 Die Zufriedenheitsfestigung

Der Anruf beim zufriedenen Kunden führt zur Zufriedenheitsfestigung, denn wer ja sagt, muß beim Ja bleiben. Wer zufrieden ist und dies auch „öffentlich" bekundet, der bleibt bei seiner Meinung. Er kann nicht urplötzlich umschwenken, ohne unglaubwürdig zu werden. Eine dem anrufenden Mitarbeiter bejahte Zufriedenheit hat „Vereidigungsfunktion" und hilft dabei, den Kunden auf den Betrieb „einzuschwören".

Übrigens: Friseure haben das schon seit langem erkannt, denn die halten nach der erbrachten Leistung ihren Kunden den Spiegel hinter den Kopf und warten auf ein Zufriedenheitssignal.

3.4.1.4 Die Gefahren der Zufriedenheitsnachfrage

Verunsicherungen des Kunden einerseits und das Forcieren von Meckereien andererseits können als Gefahren in diesem Gespräch vorkommen. Wer will schon „schlafende Hunde" wecken oder dem Kunden den Eindruck vermitteln, man hätte beim Werkstattbesuch vergessen die Radmuttern anzuziehen? In unserem Eingangsbeispiel mußte der angerufene Kunde, Herr Klugmann, geradezu diesen Eindruck gewinnen, als der Kundendienstberater bei ihm anrief und nicht offen mit seinem Anliegen herausrückte. *„Ist mit meinem Wagen irgendetwas nicht in Ordnung?"* waren die Worte des Kunden, als ihn die Zweifel überfielen. Und als der Kundendienstberater daraufhin immer noch „um den heißen Brei" redete, formulierte Herr Klugmann seine Bedenken noch schärfer: *Ich werde das Gefühl nicht los, daß Sie irgendeinen Murks an meinem Auto gemacht haben. Nun spucken Sie's schon aus, was ist mit meinem Wagen los?"* Natürlich sind solche vom Kunden geäußerten Zweifel nicht immer gänzlich vermeidbar und können bei noch so guter Vorbereitung und Gesprächsführung auftreten. Dennoch sind sie durch entsprechende Gesprächstechniken – siehe unten – minimierbar.

3.4.2 „Sind die Radmuttern nicht angezogen?" – Häufige Fehler bei Zufriedenheitsnachfragen

Auch wenn Zufriedenheitsnachfragen bisher relativ selten praktiziert werden, so haben sich dennoch bereits die schwerwiegendsten Fehler herauskristallisiert.

1. Fehler: Keine oder geringe Vorbereitung.

2. Fehler: „Verschleierungstaktiken" einsetzen.

3. Fehler: Nach Reklamationen suchen.

4. Fehler: Zufriedenheitsnachfragen mit verkäuferischen Aktivitäten verbinden.

5. Fehler: Auf Zufriedenheitsbekundungen beiläufig reagieren.

3.4.2.1 Keine oder geringe Vorbereitung

Die Nachfaßaktionen gehören zu den aktiven Kundenanrufen und sind somit vorbereitbar. Nicht nur das einzelne Telefonat, sondern die gesamte Aktion sollte im Betrieb besprochen und durchdacht werden. Anrufe ohne Daten zum Kunden, zum Fahrzeug und zur Arbeitsausführung bzw. Rechnungshöhe (zumindest wenn die Telefonate vom Kundendienstberater ausgeführt werden) sind nicht sinnvoll. Darüber hinaus müssen wir uns auf den Kunden innerlich einstellen und seine Eigenarten und gegebenenfalls seine „Vorgeschichte" berücksichtigen.

3.4.2.2 „Verschleierungstaktiken" einsetzen

Wir nannten das Problem bereits: die mögliche Verunsicherung des Kunden. Wie wird sie erzeugt? Zunächst fehlen den meisten Kunden Erfahrungen mit Zufriedenheitsnachfragen. Nach der Fahrzeugabholung ist in der Regel der Kontakt zur Werkstatt vorläufig beendet. Nur wenn es Reklamationen gibt, sucht der Kunde den Betrieb wieder auf. Nun meldet sich unvorhergesehen die Werkstatt. Das muß zwangsläufig zum Erstaunen und zur Frage „Warum?" führen. Je später und je ungenauer der Kunde jetzt unsere Absicht erfährt, desto mehr wird er zu gedanklichen Spekulationen über den Grund des Anrufs veranlaßt und es schleichen sich Unsicherheitsgefühle ein. „Verschleierungstaktiken" verschärfen dies: Wer sich erst mal beiläufig nach dem werten Befinden des Kunden erkundigt, verlängert die Verunsicherungszeit. Wer Formulierungen wie *„Nein, nichts besonderes ..."*, *„Ich wollte nur mal hören, wie es Ihnen geht"*, *„Was macht der Wagen?"* usw. einsetzt, erzeugt den gleichen Effekt. Selbst die sachliche Formulierung *„Herr Kunde, Sie waren doch gestern bei uns in der Werkstatt"* kann diese Zweifel auslösen.

3.4.2.3 Nach Reklamationen suchen

Was würden Sie als Kunde denken, wenn man Sie fragte, ob Ihnen an Ihrem Wagen „irgendwas Besonderes aufgefallen" sei? Oder was lösten Begriffe wie „Mangel", „Defekt", „Beanstandung" oder „Reklamation" in Ihnen aus? Durch solche Formulierungen und Begriffe werden die Kundengedanken zwangsläufig in eine negative Richtung gelenkt. Doch die Zufriedenheitsnachfrage soll keineswegs dazu dienen, nach Reklamationen zu suchen. Aus diesem Grund müssen bohrende Fragen, bei denen der Kunde diesen Eindruck erlangen könnte, vermieden werden.

3.4.2.4 Zufriedenheitsnachfragen mit verkäuferischen Aktivitäten verbinden

Es mag Sie verwundern, aber auch dies gehört in das „Sündenregister". Verbinden wir unsere Nachfrage mit irgendwelchen Verkaufsangeboten, so entsteht beim Kunden leicht der Eindruck, unsere freundliche Nachfrage sei nur vorgeschoben, um im zweiten Schritt an sein Portemonnaie zu gelangen. Die „Absicht ist umzingelt" und das führt zum Bumerangeffekt. Außerdem würde der Kunde sich verständlicherweise fragen, warum wir ihm unser Angebot nicht bereits anläßlich seines Werkstattbesuches unterbreitet haben und nun nochmals ein Kommen initiieren. TÜV-Hinweise, Aktions- oder Saisonangebote sind die eine Sache, Zufriedenheitsnachfragen die andere. Beides sollte nicht miteinander verbunden werden, sondern ist jeweils als Einzelgesprächsanlaß zu nutzen. Natürlich heißt das nicht, das wir uns dem Kunden verweigern, wenn die Initiative in diesem Punkt von ihm ausgeht.

3.4.2.5 Auf Zufriedenheitsbekundungen beiläufig reagieren

Auch das gibt es: Da bekundet der Kunde laut und deutlich sein Wohlwollen und seine Zufriedenheit mit den Leistungen des Betriebes und auf der anderen Telefonseite wird nur eine müde Reaktion ausgelöst oder das Gespräch wird danach schnell beendet. Zufriedenheitsbekundungen erfordern unsere positiven Reaktionen und die Wendung *„Das ist doch nicht der Rede wert!"* mag Ihre Bescheidenheit kennzeichnen, doch für diese Gesprächsform ist sie ungeeignet.

3.4.3 „So wird ein Schuh draus!" – Leitgedanken für die telefonische Zufriedenheitsnachfrage

In der Vorbereitung und der sich daraus ergebenden Gesprächssystematik liegt der halbe Erfolg, das kennen Sie bereits aus anderen aktiven Telefonaten. Klären Sie daher vor dem Beginn einer solchen Aktion die folgenden Fragen:

1. Frage: Wer im Betrieb soll den Kunden anrufen?
2. Frage: Welche Begleitmaßnahmen sollen, können oder müssen ergriffen werden?
3. Frage: Wann soll der Kunde angerufen werden?
4. Frage: Welche Kunden sollen angerufen werden?
5. Frage: Wie muß das Gespräch geführt werden?

3.4.3.1 Der richtige Anrufer

In der Praxis haben sich zwei grundsätzlich unterschiedliche Wege als durchaus erfolgreich herauskristallisiert: der Anruf eines „Unbeteiligten" oder der des „Fachmannes". Unter Unbeteiligten verstehen wir Mitarbeiter, die nicht im täglichen Kundenkontakt des Kundendienstes stehen. Das kann eine beauftragte Telefonmarketing-Agentur sein, die im Namen des Autohauses diese Gespräche ausführt, das kann aber auch eine entsprechend eingearbeitete Teilzeit- oder Vollzeitkraft sein, die diese Aufgabe übernimmt.

Welche Vorteile bietet diese Variante? Einerseits wird hierdurch eine gewisse Spezialisierung der „Telefonisten" gewährleistet. Dadurch können die Gespräche professioneller geführt und Unsicherheiten weitgehend vermieden werden. Andererseits wird die Offenheit des Kunden gefördert. Die Hemmschwelle für das „offene Wort" ist geringer, da bei einer neutralen Person weniger mit Rechtfertigungen oder Gegenangriffen zu rechnen ist. Wer sich beispielsweise über die Unfreundlichkeit des Kundendienstberaters geärgert hat, dem wird es sicher leichter fallen, dem „Unbeteiligten" darüber zu berichten, als es dem „Frustauslöser" direkt zu sagen.

Natürlich ist dieser Weg auch mit gewissen Nachteilen behaftet: Informationen können verfälscht werden, wenn sie über verschiedenen Stufen bis zum Betroffenen gelangen. Daneben entfällt der Vorteil der persönlichen Beziehungsvertiefung zwischen Kundendienstmitarbeiter und Kunden. Letztlich kann bei technischen Problemen keine Sofortauskunft gegeben werden.

Jeder Betrieb, der sich für den beschriebenen Weg entscheidet, sollte unbedingt dafür Sorge tragen, daß ein entsprechendes Berichtsystem geschaffen wird und das bei Problemen schnelle Rückrufe erfolgen.

Der zweite Weg, der Anruf durch den Kundendienstmitarbeiter, ist in der Praxis verbreiteter. Die Vorteile ergeben sich aus der Umkehrung der beschriebenen Nachteile des ersten Weges. Zumeist ist jedoch der Arbeitsbelastungs- und somit der Zeitfaktor für die meisten Kundendienstberater nicht zu unterschätzen.

Die Konsequenz: Breit angelegte, regelmäßige Zufriedenheitsnachfragen mit Anrufen bei jedem Werkstattkunden erfordern einen eigenen Telefonkontakter. In der Praxis werden Kundendienstberater nur eine begrenzte Zahl von Kunden anrufen können.

3.4.3.2 Mögliche Begleitmaßnahmen einer Zufriedenheitsnachfrage

Durch eine „Vorwarnung" des Kunden auf den telefonischen Kontakt nach dem Werkstattbesuch kann einer Verunsicherung vorgebeugt werden. Empfehlenswert ist es beispielsweise, die Kunden per Brief über den neuen Service zu informieren. Aus Kostengründen kann ein solches Schreiben der Rechnung beigelegt werden. Schreiben Sie Ihren Kunden ein paar freundliche Zeilen und weisen Sie sie darauf hin, daß sie in den nächsten Tagen von einem Mitarbeiter angerufen werden und daß man dann mit ihnen über die Serviceleistungen sprechen möchte.

AUTOHAUS SORGENFREI GmbH
Platanenstraße 3 · 8000 München 80
Telefon 0 89/12 34 56

Sehr geehrter Herr Kunert,

herzlichen Dank für Ihren Werkstattbesuch in unserem Hause. Wir hoffen, daß Sie mit unseren Leistungen zufrieden sind und daß wir Sie höflich und freundlich bedienen konnten.

Unser wichtigstes Ziel ist Ihre Zufriedenheit! Darum wollen wir uns ständig verbessern und bitten Sie um Ihre Unterstützung. Ja, denn Ihre Meinung ist ausschlaggebend für uns und kann uns wertvolle Anregungen für unsere tägliche Arbeit liefern. Darum sind wir auch an Ihrer persönlichen Meinung sehr interessiert.

In den nächsten Tagen wird Sie unser Kundendienstberater, Herr Mustermann anrufen und sich nach Ihrer Zufriedenheit mit uns und unseren Dienstleistungen erkundigen. Sprechen Sie bitte offen mit ihm und sagen Sie es, wenn es Grund für Beanstandungen gab. Natürlich freuen wir uns besonders über Ihr Lob.

Herzlichen Dank für Ihre Mitarbeit!

Weiterhin eine gute Fahrt und viel Freude mit Ihrem Wagen wünscht Ihnen

Ihr Kundendienstteam vom Autohaus Sorgenfrei

gez. Paul Sorgenfrei

3.4.3.3 Der Zeitpunkt des Anrufs

Empfehlenswert ist es, den Kunden in einem Zeitraum zwischen drei und sechs Tagen nach dem Werkstattbesuch anzurufen. Wer sich vorher meldet, läuft Gefahr, wiederum den Verunsicherungseffekt auszulösen. Würde es Ihnen nicht auch so gehen, wenn Sie am Morgen nach einem Arztbesuch auf einmal die Praxis an „der Strippe" hätten? Andererseits sollten Sie nicht länger als eine Woche mit Ihrem Anruf auf sich warten lassen, denn sonst verblaßt die Erinnerung des Kunden an den Werkstattbesuch bereits und er kann nur noch ein belangloses „Ja, ja!" von sich geben.

Wann innerhalb eines Tagesverlaufes der Anruf erfolgen sollte, ist nicht generell zu beantworten. Zu unterschiedlich sind die Kundenstrukturen der einzelnen Betriebe. Wichtig ist es, bereits bei Auftragsannahme nach der telefonischen Erreichbarkeit des Kunden während des Tages zu fragen. Diese wird für mögliche Auftragserweiterungen benötigt und kann auch in diesem Fall in der Regel eingesetzt werden. Sicher werden sich manche Gespräche nur am späten Nachmittag, in den Feierabendstunden der Kunden, führen lassen. Doch Vorsicht, wer hier zu eifrig ist und beim Abendessen oder während der Tagesschau stört, muß sich über ärgerliche Kundenreaktionen nicht wundern.

3.4.3.4 Die richtige Zielgruppe auswählen!

Nur in wenigen Betrieben wird es möglich sein, jeden Kunden nach einem Werkstattbesuch anzurufen und somit ist eine Auswahl unter den Kunden unumgänglich.

Beginnen Sie zunächst mit der Festlegung der Anzahl der geplanten und durchzuführenden Telefonate. Leistungsvorgaben motivieren und verhindern das „Einschlafen" solcher Aktionen nach einiger Zeit. Dann ist die Frage der Auswahl zu klären. Hier hat sich bestens die Zufallsauswahl bewährt. Gehen Sie z. B. nach Auftrags- oder Rechnungsnummern vor und wählen Sie jeweils die Soundsovielte zur Nachfrage aus. Wer das nicht tut, läuft Gefahr eine Sympathieauswahl vorzunehmen. Durch die Zufallsauswahl erhalten Sie mit der Zeit einen repräsentativen Querschnitt durch die in Anspruch genommenen Werkstattleistungen und somit ein recht passables Zufriedenheitsbild.

Natürlich könnten Sie auch nach anderen Auswahlkriterien vorgehen, z. B. nach der Rechnungshöhe oder nach speziellen Auftragsarten. Denken Sie etwa an Geräuschbeanstandungen, Kaltstartschwierigkeiten, Benzinverbrauch oder an technische Defekte, die nur ab und zu auftreten. In all diesen Fällen ist ein nachfolgender Anruf durchaus empfehlenswert. Doch seien Sie sich bewußt, daß es hier um die Frage der Beseitigung eines Mangels oder Defektes handelt und daß sich das Telefonat dadurch von den anderen Zufriedenheitsnachfragen unterscheidet. Ob die Kaltstartschwierigkeiten beseitigt sind, kann ein Kunde sicher beurteilen. Ob aber eine Inspektion ordnungsgemäß ausgeführt wurde, das entzieht sich zumeist seiner Beurteilungsfähigkeit.

3.4.4 „Sind Sie eigentlich mit uns zufrieden?" – Die Gesprächsführung einer Zufriedenheitsnachfrage

Wer all die dargestellten Fragen vor Durchführung von Zufriedenheitsnachfragen bedacht hat, der kann sich frohen Mutes und mit großer Erfolgshoffnung ans Werk machen. Die Erfolgswahrscheinlichkeit steigt mit der Einhaltung des folgenden „roten Fadens":

Gesprächsleitfaden Zufriedenheitsnachfrage

1. Schritt: Gesprächseinstieg – Gesprächsziel bekanntgeben.

2. Schritt: Konkrete Aktivierungsfrage nach der Zufriedenheit des Kunden – Gegebenenfalls Nachfrage auf konkrete Leistungsbereiche.

3. Schritt: Bei positiven Äußerungen des Kunden sprachliche Verstärker einsetzen zur Erzeugung des Einschwörungseffektes.

   Bei negativen Kundenäußerungen nachfragen und Beanstandungen konkretisieren lassen – Verständnis zeigen – Abhilfemaßnahmen vorschlagen – Vereinbarungen treffen.

4. Schritt: Gesprächsabschluß durch Dank und positiven Nachklang.

3.4.4.1 Der Gesprächseinstieg

Selbstverständlich ist es hier zunächst wichtig, daß der Kunde weiß, von wem er angerufen wird. Deshalb ist die Meldung bei ausgehenden Telefonaten (Tagesgruß, Namensansprache, Namens- und Firmennennung) erforderlich.

„Guten Tag Herr Müller, mein Name ist Peters, Klaus Peters vom Autohaus Kollmann."

Sodann muß dem Kunden das Gesprächsziel bekanntgegeben werden, um mögliche Verunsicherungen von vornherein zu beseitigen.

119

„Herr Müller, wir haben in unserem Betrieb einen besonderen Service einge-
führt und rufen unsere Kunden nach einem Werkstattbesuch an, um uns nach
deren Zufriedenheit zu erkundigen."

Durch eine derartige Formulierung geben Sie einerseits Ihr Anliegen bekannt
und gleichzeitig vermitteln Sie dem Kunden, daß es sich nicht um einen Einzel-
anruf bei ihm allein handelt.

„Herr Müller, die Zufriedenheit unserer Kunden liegt uns am Herzen. Aus
diesem Grund rufen wir auch Sie an, um uns nach Ihrer Zufriedenheit mit
unseren Leistungen zu erkundigen."

„Herr Müller, wir haben einen neuen Service eingeführt und wollen nun die
Zufriedenheit der Kunden ermitteln, die bei uns in der Werkstatt waren. Uns
liegt viel daran zu erfahren, ob die Serviceleistungen unseres Betriebes Ihren
Erwartungen entsprachen."

„Herr Müller, wir führen im Rahmen unseres Kundenservices eine Zufrieden-
heitsnachfrage durch und in diesem Zusammenhang möchte ich Sie fragen,
wie zufrieden Sie bei Ihrem letzten Werkstattbesuch mit unseren Kunden-
dienstleistungen waren?"

Sie sehen, dem Formulierungsreichtum sind kaum Grenzen gesetzt. Wichtig ist
es, daß der Gesprächseinstieg nicht zu lang ausfällt und klar und deutlich formuliert wird.

Gegebenenfalls können Sie auch mit der Methode der Einwandvorwegnahme
reagieren, d.h. Sie formulieren selbst eine mögliche Verwunderung oder Verunsicherung des Kunden und entkräften sie gleichzeitig:

„Herr Wolf, Sie wundern sich vielleicht, daß ich Sie nach Ihrem Werkstattbe-
such anrufe! Der Grund liegt allein darin, daß wir erfahren möchten, wie Sie
mit unseren Dienstleistungen zufrieden waren."

Oder Sie stellen die Aussage zunächst allein in den Raum und warten auf die
Reaktion des Kunden:

„Herr Klarne, wundern Sie sich bitte nicht, wenn ich Sie heute anrufe."

Gegebenenfalls wird dadurch bewußt ein „Ja" oder „Doch" des Kunden provo-
ziert und Sie können dann entsprechend reagieren:

„Herr Klarne, wir arbeiten an uns, um uns ständig für unsere Kunden zu ver-
bessern und brauchen Ihre Mitarbeit. Wir möchten feststellen, ob Sie mit uns
zufrieden waren oder wo wir uns in Zukunft für Sie verbessern können."

3.4.4.2 Die konkrete Frage nach der Zufriedenheit

Natürlich wollen wir so bald als möglich im Gespräch die Meinung des Kunden erfahren. Er soll uns seine Eindrücke berichten und das heißt, daß seine Gesprächsanteile in diesem Telefonat größer sein müssen als die unsrigen. Nur Mut, fragen Sie Ihren Kunden also gleich nach dem Gesprächseinstieg. Doch berücksichtigen Sie dabei, daß Sie Ihre Frage nicht auf die handwerklich-technische Leistung beziehen! Also nicht:

„Wie zufrieden waren Sie mit unserer Inspektion?"

„Ist die Sache wieder in Ordnung?"

„Was halten Sie von unseren Werkstattleistungen?"

„Wie finden Sie uns?"

Gegebenenfalls können Sie sich an dieser Stelle nochmals auf den Werkstattbesuch des Kunden beziehen und dann die konkrete Frage nach der Zufriedenheit anschließen. Nennen Sie in diesem Fall Zeitpunkt des Werkstattaufenthaltes, Fahrzeugtyp und Besuchsanlaß. Dadurch zeigen Sie Kompetenz und daß Sie sich speziell auf dieses Gespräch vorbereitet haben.

„Herr Metje, Sie waren am Freitag der vergangenen Woche mit Ihrem Planex zur 40 000-km-Inspektion in unserer Werkstatt. Wie zufrieden waren Sie anläßlich dieses Besuches mit unseren Kundendienstleistungen?"

Verwenden Sie Aktivierungsfragen (siehe Kapitel 1.3.2), die Ihren Gesprächspartner zu einer längeren Antwort als nur zu einem „Ja" oder „Nein" veranlassen. Also nicht:

„Ich wollte Sie fragen, ob Sie mit uns zufrieden waren."

„Sind Sie mit unseren Leistungen (unserem Service) zufrieden?"

Sprechen Sie in der Frage allgemein von Kundendienst- oder Serviceleistungen oder von der Bedienung. Kommt vom Kunden nur eine kurze Reaktion, so ist es sinnvoll, jetzt nochmals konkret nachzufragen.

„Waren Sie mit unserer Bedienung zufrieden?"

„Entsprach die Terminvereinbarung Ihren Vorstellungen?"

„Wurden Sie Ihrem Eindruck nach schnell und zügig bedient?"

Natürlich können Sie auch danach fragen, wo Sie sich nach Meinung des Kunden noch verbessern können.

„Herr Kunde, wo könnten wir unseren Service Ihrer Ansicht nach noch verbessern?"

„Welche Empfehlungen könnten Sie uns zur Verbesserung unserer Dienstleistungen geben?"

Eine andere Alternative besteht darin, bewußt nach den Positiverlebnissen des Kunden zu fragen.

„Was gefiel Ihnen am besten?"

„Welche unserer Serviceleistungen entsprachen voll und ganz Ihren Erwartungen?"

Dies hat den Vorteil, daß wir den Kunden bewußt zu positiven Äußerungen bringen und ihn somit gedanklich in diese Richtung lenken. Doch Vorsicht! Es darf nicht nach „Komplimentefischen" klingen und dadurch für den Kunden peinlich werden.

3.4.4.3 Die Reaktion auf Kundenäußerungen

In dieser Gesprächsphase ist das oberste Gebot das Zuhören. Nehmen Sie die Kundenäußerungen – was immer der Kunde sagt – positiv auf und zeigen Sie ihm, daß Sie zuhören (siehe Kapitel 1.2). Wenn uns wirklich etwas an der Kundenmeinung liegt, so muß der Angerufene das jetzt auch zu spüren bekommen.

Was tun, wenn der Kunde sich positiv äußert? Etwas Besseres kann uns jetzt nicht passieren, denn dann hätten wir das höchste Ziel unseres Telefonates, die Bekundung der Zufriedenheit, schon fast erreicht. Hier gilt es jetzt die Kundenäußerungen zu verstärken, den Kunden indirekt für seine Aussagen zu belohnen. Setzen Sie folgende Formulierungen ein:

„Es freut mich zu hören, daß Sie mit unseren Leistungen zufrieden sind."

„Ich freue mich über Ihre Aussagen."

„Es ist schön zu hören, daß wir Ihren Erwartungen entsprechen konnten."

Diese Formulierungen sind besonders wichtig, da mit Ihnen der „Einschwörungseffekt" erzielt wird. Außerdem erhöhen belohnende Sätze die Auftretenswahrscheinlichkeit weiterer Positivaussagen des Kunden.

Was tun, wenn der Kunde sich negativ äußert? Negativäußerungen des Kunden können sich sowohl auf die Serviceleistungen, als auch auf mögliche Beanstandungen am Fahrzeug beziehen. In beiden Fällen kommt es zunächst wiederum auf Ihr Zuhörverhalten an. Hüten Sie sich vor schnellen Rechtfertigungsversuchen! Fragen Sie lieber zunächst nach, bitten Sie den Kunden Ihnen mehr über die Beanstandung oder das Negativerlebnis zu berichten.

„Herr Jost, könnten Sie mir bitte mehr darüber erzählen, damit ich mir ein besseres Bild machen kann und die richtigen Maßnahmen zur Abhilfe ergreifen kann."

Auch der Einsatz von Verständnissignalen ist hier sinnvoll:

„Herr Jost, ich kann das gut nachvollziehen, wenn Sie sich über die lange Wartezeit geärgert haben."

Natürlich gilt für die technische Beanstandung das, was im Kapitel 3.5 zur telefonischen Reklamation gesagt wurde. Leiten Sie konkrete Abhilfemaßnahmen ein, indem Sie zum Beispiel den Kunden bitten, kurzfristig nochmal im Betrieb vorbeizukommen oder indem Sie einen neuen Werkstatttermin vereinbaren. Bei Beschwerden über Serviceleistungen sollten Sie gegebenenfalls mit dem Kunden über Abänderungsmaßnahmen sprechen, sofern diese den Kunden konkret selbst betreffen. Wenn sich ein Kunde etwa über die Hauptandrangzeit bei Auftragsannahme beschwert, schlagen Sie ihm vor, beim nächsten Mal doch zu einer ruhigen Vormittagsstunde zu kommen oder bereits am Vorabend das Fahrzeug zu bringen.

Prinzipiell sollte – wo immer das möglich ist – bereits im Telefonat nach Lösungswegen gesucht und diese auch vereinbart werden. Wenn es sich nicht gerade um Einzelfälle handelt, muß bei allgemeinen Hinweisen der Unzufriedenheit im Betrieb nach Abhilfen gesucht werden.

3.4.4.4 Der Gesprächsabschluß

Auch die angenehmste Zufriedenheitsnachfrage muß irgendwann einmal zu Ende gehen. Und dies ist in diesem Gespräch von besonderer Bedeutung. Der Kunde muß die Gewißheit bekommen, daß sich in Ihrem Betrieb auch etwas rührt, wenn es Grund zur Beanstandung gab. Wenn alles positiv verlief, so soll eine angenehme Erinnerung an das Telefonat erhalten bleiben. In beiden Fällen eignen sich folgende Formulierungen:

„Herr Müller, herzlichen Dank, daß Sie Zeit fanden mit mir über das Thema zu sprechen."

„Vielen Dank für Ihr Interesse und Ihre Aufmerksamkeit."

„Ich danke Ihnen für Ihre Anregungen (Hinweise, Offenheit)"

„Danke, daß Sie sich die Zeit für mich genommen haben."

„Vielen Dank für Ihre Hilfe."

Diese Abschlußverstärkungen machen das Telefonat auch für den Kunden zu einem angenehmen Erlebnis.

3.4.5 „Herr Mustermann telefoniert!" – Überarbeitetes Gesprächsbeispiel

Wie immer, so haben wir auch hier unser Eingangsgespräch nochmals nach den dargestellten Erkenntnissen überarbeitet. Sie erinnern sich, Herr Klee rief Herrn Klugmann nach der Inspektion an, um sich nach der Kundenzufriedenheit zu erkundigen.

A: *„Klugmann."*

B: *„Guten Tag Herr Klugmann, hier spricht Klee, Horst Klee vom Autohaus Bernd."*

A: *„Tag Herr Klee, was verschafft mir die Ehre Ihres Anrufs?"*

B: *„Wundern Sie sich bitte nicht Herr Klugmann! ... Herr Klugmann, wir führen im Rahmen unseres Kundenservices eine Zufriedenheitsnachfrage durch und rufen einige Kunden an, um uns nach deren Zufriedenheit zu erkundigen."*

A: *„Oh, das ist ja mal ganz was Neues."*

B: *„Richtig, Herr Klugmann. Uns liegt sehr viel an der Zufriedenheit unserer Kunden ... Sie waren am vergangenen Donnerstag mit Ihrem Platin Z zur 40 000-km-Inspektion in unserem Haus ... Nun, heute möchte ich Sie fragen, wie zufrieden Sie mit unseren Serviceleistungen anläßlich dieses Werkstattbesuches waren."*

A: *„Tja, wissen Sie... Werkstattbesuche sind ja nun mal nicht die Glücksstunden im Leben eines Autofahrers ..."*

B: *„Mhmh ... ja, das verstehe ich sehr gut ..."*

A: *„Aber wissen Sie, so richtig zu beanstanden gibt es nichts."*

B: *„Herr Klugmann, ich bin natürlich nicht nur auf der Suche nach Beanstandungen, aber mich interessiert natürlich Ihre Meinung. Waren Sie mit der gesamten Auftragsabwicklung zufrieden?"*

A: *„Doch, doch. Nur..."*

B: *„... Sagen Sie es mir nur offen, Herr Klugmann. Ich freue mich über jede Anregung."*

A: *„Na gut. Also ich finde, bei Ihnen geht's morgens immer ein bißchen hektisch zu. Da treten sich die Kunden etwas zu sehr gegenseitig auf die Füße."*

B: *„Meinen Sie damit, daß zu viele Kunden auf einmal da sind oder bezieht sich Ihre Beobachtung auf das Verhalten unserer Mitarbeiter?"*

A: „Nee, Ihre Kollegen und Sie verhalten sich schon korrekt. Muß nur immer ein bißchen zack-zack gehen, verstehe ich ja."

B: „Herr Klugmann, ich finde das prima, daß Sie mir das so offen sagen. Ich verstehe Ihre Meinung gut, als Kunde will man, daß der Bedienende Zeit für einen hat. Klar! Leider geht es wirklich bei uns morgens manchmal etwas hektisch zu. Wir haben uns da auch schon so unsere Gedanken gemacht und wollen Abhilfemaßnahmen einleiten. Wie wäre es, wenn wir beim nächsten Mal Ihren Besuch auf einen etwas späteren Zeitpunkt legten? Ich denke da an den frühen Vormittag zum Beispiel oder auch an die Möglichkeit, daß Sie bereits am Abend zuvor den Wagen bringen. Da hätte ich dann sicher mehr Zeit für Sie. Was halten Sie davon?"

A: „Hört sich nicht schlecht an. Muß ich mir mal durch den Kopf gehen lassen."

B: „Machen wir es doch am besten so: Wenn Sie sich das nächste Mal anmelden, schlage ich Ihnen das nochmals vor und wir vereinbaren dann gegebenenfalls einen solch späteren Termin. Einverstanden?"

A: „Ist in Ordnung!"

B: „Sonst ist alles entsprechend Ihren Erwartungen verlaufen?"

A: „Ja, danke bestens."

B: „Das freut mich sehr zu hören Herr Klugmann. Dann darf ich mich an dieser Stelle für Ihr Interesse und Ihre Anregungen bedanken und Ihnen weiterhin viel Freude mit Ihrem Wagen wünschen."

A: „Danke sehr! Übrigens finde ich das wirklich toll, daß Sie Ihre Kunden anrufen."

B: „Es ist sehr schön, daß Sie das sagen. Das motiviert uns in unserer Arbeit. Vielen Dank für das Gespräch."

A: „Ja, dann, auf Wiederhören!"

B: „Auf Wiederhören Herr Klugmann."

Telefonische Zufriedenheitsnachfragen können in der heutigen Zeit des Wettbewerbs eine wichtige Profilierungsmöglichkeit im Kundendienst darstellen. Gut vorbereitete und geschickt geführte Gespräche tragen zur Kundenzufriedenheit und Kundenbindung bei und geben uns gleichzeitig die Möglichkeit, mehr darüber zu erfahren, wo wir unsere Dienstleistungen verbessern können.

3.5 „Jeder kennt sie, keiner mag sie!" – Der Umgang mit der telefonischen Reklamation

Reklamationen sind weder die Sternstunden im Leben eines Kunden, noch die Glücksmomente eines Autohausmitarbeiters. Dennoch: Reklamationen gibt es in jedem Dienstleistungsbereich, in jedem Handwerk und in jeder Produktion. Überall dort arbeiten Menschen und denen können Fehler unterlaufen. Natürlich müssen wir ständig an unserer Arbeits- und Betreuungsqualität arbeiten und sie verbessern und trotzdem werden wir bei noch so viel Fleiß auch mit den Beanstandungen und Beschwerden leben müssen. Leider! Kunden greifen oft in diesen Augenblicken zum Hörer, um ihrem „Herzen Luft" und „den anderen rund" zu machen. Da heißt es Gesprächsführungsgeschick zeigen!

A: *„Autohaus Kern, Weber."*

B: *„Na endlich geht mal jemand bei Ihnen ans Telefon. Aber das war natürlich auch nicht anders zu erwarten. Also, passen Sie jetzt mal gut auf! Sie setzen am besten gleich einen Monteur in Bewegung, der diese Mistkarre bei mir abholt. Ich hab' nämlich die Nase gestrichen voll."*

A: *„Mit wem spreche ich bitte?"*

B: *„Mit wem Sie sprechen? Hier ist Blatter, Firma Odenwald in der Herzogstraße."*

A: *„Herr Blatter, was kann ich für Sie tun?"*

B: *„Was Sie für mich tun können? Abholen können Sie das Mistauto, bevor ich noch einen Herzschlag bekomme."*

A: *„Nun beruhigen Sie sich doch erst einmal! Worum geht es denn überhaupt?"*

B: *„Worum es geht? Es geht um dieses Vehikel, das Sie mir aufgeschwatzt haben und das hinten und vorne nicht funktioniert. Braucht man doch nur die Zeitung aufschlagen, da steht doch alles haarklein drin, was bei dem Wagen nicht in Ordnung ist. Lesen Sie etwa keine Autotests?"*

A: *„Doch, aber was die Zeitungen da schreiben, ist doch alles übertrieben. Übrigens aufgeschwatzt haben wir Ihnen den Wagen ganz bestimmt nicht. Was ist denn überhaupt los? Warum regen Sie sich denn so auf?"*

B: *„Ich soll mich nicht aufregen, bei einem Fahrzeug, mit dem ich bereits dreimal wegen eines blödsinnigen Scheibenwischers in der Werkstatt war? Bei Ihnen schafft es doch keiner, den Fehler endgültig zu beheben."*

A: *„Aber jetzt werden Sie unsachlich! Wir haben nur Fachkräfte, die etwas von den Fahrzeugen verstehen ..."*

B: „... herzlichen Dank, das hab' ich bereits mehrmals gemerkt. Wollen Sie mir nun weiterhelfen?"

A: „Wenn Sie mir bereits vorher gesagt hätten wie, dann hätte ich das auch bestimmt schon längst getan. Sie haben ja die ganze Zeit nur gemeckert."

B: „Jetzt reicht es! Verbinden Sie mich sofort mit Ihrem Vorgesetzten!"

A: „Der ist nicht im Haus."

B: aufgelegt

Das scheint der falsche Weg zu sein! Wer erst durch übertriebene Sachlichkeit, dann mittels Beschwichtigungen und später durch nebensächliche Diskussionen, Rechtfertigungen und gar mit Vorwürfen versucht, eine telefonische Reklamation zu meistern, muß scheitern. Reklamationen sind Chancen, die es zu ergreifen gilt. Doch dies ist nur durch eine gezieltes Vorgehen möglich.

3.5.1 „Niete oder Hauptgewinn?" – Die Reklamation als Chance

Auf Anhieb fällt es schwer, die positiven Seiten einer Reklamation zu entdecken. Streitgespräche, Kundenvorwürfe, Beschuldigungen oder gar Beschimpfungen kommen einem da eher in den Sinn. Und natürlich sind auch Kunden keine Engel und es ist schon manchmal „starker Tobak", den man sich da anhören muß. Die negativen Seiten einer Beanstandung, Beschwerde oder Reklamation sind kaum zu übersehen, denn sie erzeugen eigenen Ärger sowie Kundenverärgerung oder gar Kundenverlust. Trotzdem hat eine Reklamation auch etwas Gutes! Ein amerikanischer Warenhausboss soll einmal gesagt haben: „Der Kunde, der sich beklagt, tut der Firma einen Gefallen, indem er ihr zeigt, wie sie es besser machen kann. Während der Kunde, der unzufrieden ist und sich nicht beklagt, dem Unternehmen schadet, weil er ihm nicht zeigt, wie es etwas besser machen kann."

Der reklamierende Kunde bringt Ihrem Haus Vertrauen entgegen. Er sagt durch seine Handlung: „Ich möchte noch mit Ihnen zusammenarbeiten!" Also, da soll doch der Kunde lieber mit uns meckern, als über uns! Verlorene Kunden wieder zurückzugewinnen ist weitaus schwieriger als unzufriedene Kunden zufriedenzustellen.

Das Fazit: Reklamationen, Beanstandungen und Beschwerden sind Rückmeldungen unseres Kunden. Es sind Chancen für das Autohaus, um die eigene Leistungsfähigkeit unter Beweis zu stellen und diese ständig zu verbessern.

3.5.1.1 Die Besonderheit der telefonischen Reklamation

Die Gründe für Reklamationen sind vielfältig: Beschwerden über zu hohe Rechnungen oder unberechtigte Mahnungen, verpaßte Termine oder vermeintlich falsches und unfreundliches Mitarbeiterverhalten läßt unsere Kunden zum Hörer greifen. Und natürlich – wie sollte es anders sein – sind auch technische Defekte am Fahrzeug der Stein des Anstoßes.

Diese Reklamationen sind unangenehm, und wenn sie telefonisch erfolgen, sind Reklamationen häufig noch unangenehmer. Einerseits ist zumeist der zeitliche Abstand zwischen dem reklamationsauslösendem Ereignis (z. B. Fahrzeug bleibt liegen) und dem Telefonat relativ kurz. Das Telefon zeigt sich hier als schnelles Kommunikationsmittel und in aller Regel ist dadurch der Kundenärger noch „frischer" und damit direkter. Andererseits treten häufig die situativen Faktoren der Reklamation in den Vordergrund: *„Wie komm ich jetzt zu meinem Termin?"* *„Was mach ich jetzt mit dem defekten Fahrzeug?"* Fragen also, die eine schnelle Entscheidung erfordern, gleichzeitig aber mit Kosten verbunden sind, von denen der Kunde oft wissen möchte wer sie übernimmt. Hinzu gesellt sich das bekannte Phänomen der höheren Aggressionsbereitschaft am Telefon: die Angriffe und Vorwürfe sind härter als im persönlichen Gespräch.

Und noch etwas zeichnet die Telefonreklamation besonders aus: Technische Defekte sind am Telefon weder diagnostizierbar noch „therapierbar". Es können somit nur Maßnahmen zur Problemlösung beschlossen und eingeleitet, keinesfalls aber per Telefon bereits durchgeführt werden, außer der Autohausmitarbeiter ließe sich zu Ferndiagnosen oder fernmündlichen Reparaturanweisungen hinreißen.

Insgesamt erfordert die telefonische Reklamation also ein erhebliches Maß an Gesprächsführungsgeschick.

3.5.2 „Wohin geht die Fahrt? – Zielsetzung des Reklamationstelefonates

Telefonische Reklamationen haben einen sachlichen und einen menschlichen Aspekt. Auf der sachlichen Seite gilt es, das Problem richtig zu erkennen und die angemessenen Abhilfemaßnahmen einzuleiten. Auf der menschlichen Seite steht die Zufriedenheit des Kunden auf dem Spiel. Sie wird bestimmt vom Gesprächsverhalten des Mitarbeiters einerseits und von den vorgeschlagenen und einzuleiteten Maßnahmen andererseits.

Reklamierende Kunden sind häufig aufgeregt und dies behindert ihre Fähigkeit, sachlich genau und umfassend ihr Problem zu schildern. Schlimmstenfalls kommen nur minimale Sachinformationen „'rüber". Da werden Erlebnisse geschildert, die im Zusammenhang mit dem Defekt auftraten, da wird den Gefühlen freien Lauf gelassen, um den „Schuldigen" mal richtig die Meinung zu sagen, aber „worum es nun eigentlich geht" erkennt man sehr schwer. Schwierig also, hier das richtige Gesprächsverhalten an den Tag zu legen.

Das Gesprächsverhalten des die Reklamation entgegennehmenden Autohausmitarbeiters sollte daher von folgenden Zielsetzungen geleitet werden:

1. Ziel: Dem Kunden die notwendige Akzeptanz für sein Problem entgegenzubringen.

2. Ziel: Eine Beruhigung des Kunden zu erreichen, die es diesem ermöglicht, seine Schwierigkeiten genau und verständlich zu beschreiben.

3. Ziel: Den sachlichen Hintergrund der Reklamation zu erfahren.

4. Ziel: Kurzfristige Abhilfemaßnahmen vorzuschlagen und einzuleiten, die die Beseitigung des Problems erwarten lassen.

3.5.3 „Vorsicht Steinschlag!" – Fehler im Reklamationstelefonat

Wenn man die obengenannten Ziele erreichen will, muß man unbedingt die folgenden Fehler vermeiden:

1. Fehler: Das Kundenverhalten wird falsch eingeschätzt.

2. Fehler: Für das beschriebene Problem wird keine Akzeptanz aufgebraucht.

3. Fehler: Beschwichtigungsversuche werden unternommen.

4. Fehler: Es erfolgen vorschnelle Schuldzuweisungen.

3.5.3.1 Das Kundenverhalten wird falsch eingeschätzt

Da ruft der Kunde in einer aufgeregten Verfassung an, seine Stimme klingt hektischer als gewöhnlich, seine Worte sind nicht in der bekannten Weise gewählt. Vorschnell wird dieses Verhalten als aggressiv gewertet und die eigentliche Triebfeder, die Aufregung, außer acht gelassen. Diese Fehleinschätzung hat zumeist ein Fehlverhalten zur Folge: „Wenn der mich so angreift, dann ...!" und schon fliegen die Fetzen.

Und noch eine Form der Fehleinschätzung ist anzutreffen: Die Ernsthaftigkeit einer vom Kunden ruhig vorgebrachten Reklamation wird unterschätzt. Ein ruhiges und sachliches Reklamationsverhalten muß jedoch keineswegs bedeuten, daß die Beanstandung „nicht so schlimm" ist. Wir müssen also auch auf die leisen Töne dieses Telefonates achten.

3.5.3.2 Für das beschriebene Problem wird keine Akzeptanz aufgebracht

Fehlende Akzeptanz ist ein Angriff auf das Selbstwertgefühl des Kunden. Wer Reklamationen nicht ernst nimmt, sie bagatellisiert oder sie in irgendeiner anderen Form für „nicht so wichtig" hält, der läuft Gefahr, einen Angriff auf dieses Selbstwertgefühl des sich beschwerenden Kunden zu starten. Akzeptanz heißt ja nicht, daß wir die Berechtigung der Reklamation vorschnell anerkennen! Vielmehr bedeutet es, sich den Problemen des Kunden zuzuwenden und sie zunächst anzuhören. Wer mit Formulierungen, wie *„Normalerweise kommt so etwas bei uns nicht vor!"* oder *„Das kann ich mir gar nicht vorstellen!"* die Aussage des Anrufers in Zweifel zieht, muß sich über entsprechende Reaktionen nicht wundern.

3.5.3.3 Beschwichtigungsversuche werden unternommen

Wenn Menschen sich aufregen, wird häufig versucht, sie schnell zu beschwichtigen.

„Nun beruhigen Sie sich doch erst einmal!

„Nun bleiben Sie doch ganz ruhig!"

„Warum regen Sie sich denn so auf?"

„So schlimm ist die Sache doch gar nicht!"

Wir Menschen glauben gern, diese beschwörenden Formeln würden den anderen zur Ruhe zwingen. Weit gefehlt, denn der sich Aufregende wird hierdurch ins „moralische Abseits" gestellt. *„Ich rege mich auf, wann und wo ich will!",* ist eine nicht seltene Reaktionen auf diese Versuche der Beruhigung. Akzeptieren Sie den Kunden und seinen Ärger und versuchen Sie nicht, ihm diesen Ärger auszureden, dann wird er von selbst zur sachlichen Ebene zurückkehren.

3.5.3.4 Es erfolgen vorschnelle Schuldzuweisungen

Niemand übernimmt gern die Verantwortung für einen Fehler und kein Kunde erwartet von uns ein vorschnelles Schuldanerkenntnis. Aber dies ist lange noch kein Grund für vorschnelle Schuldabweisungen, erst recht nicht, wenn sie ihrerseits in Schuldzuweisungen übergehen und dann einen höchst explosiven Charakter erhalten.

„Bei uns ist das ganz sicher nicht passiert!"

„Glauben Sie wirklich, daß ...?"

„Was haben Sie denn mit dem Wagen angestellt?"

„Ist die Sache nicht doch auf einen Fahrfehler zurückzuführen?"

Sicher, Kunden ihrerseits formulieren diese Schuldzuweisungen gegenüber dem Autohaus nicht selten. Doch warum gleich nach dem alttestamentarischen Prinzip „Zahn um Zahn" handeln? Enthaltsamkeit am Telefon in Sachen „Schuld und Sühne" ist angebracht, denn denken Sie an die „Ferndiagnose": Ohne Kenntnis der Ursachen ist jede Verantwortlichkeitsdiskussion zusätzlicher und unnötiger Gesprächszündstoff.

3.5.4 „Die Straße des Erfolges" – Sinnvolles Verhalten bei telefonischen Reklamationen

Der bekannte Starkoch Paul Bocuse hat einmal gesagt: *„Es braucht wenig, um eine Sache gut zu machen und noch weniger, um sie schlecht zu machen."* Er meinte natürlich ein Gericht und seine Zutaten, doch dieses Prinzip ist durchaus auf die Kunst der Reklamationsbehandlung übertragbar. Nehmen Sie also lieber etwas mehr und setzen die folgenden Gesprächsbausteine ein:

Gesprächsleitfaden telefonische Reklamation

1. Schritt: Aufnahmebereitschaft vermitteln und zuhören.

2. Schritt: Auf die emotionalen und auf die Erlebnisanteile eingehen.

3. Schritt: Einsatz zeigen und Verpflichtung auf ein gemeinsames Ziel.

4. Schritt: Sachlage genau klären.

5. Schritt: Vorschlag unterbreiten – Rahmenbedingungen klären und Handlungsschritte aufzeigen.

6. Schritt: Vorschlag absichern und zu einem positiven Ergebnis kommen.

3.5.4.1 Aufnahmebereitschaft vermitteln und zuhören

Bereits in den ersten Sätzen können Sie als Telefonprofi die Stimmungslage des Kunden erkennen. Wortwahl und Stimmlage signalisieren zumeist schon das „Unheil". Ignorieren Sie diese Zeichen nicht; nehmen Sie sie als Aufforderung für besonders aufmerksames Zuhörverhalten. Vermitteln Sie Ihre Aufnahmebereitschaft durch das zeigende Zuhören und sprechen Sie gegebenenfalls kurz Ihre Wahrnehmung aus:

> *„Ich merke, Sie sind ärgerlich. Bitte erzählen Sie mir Ihr Problem, damit ich Ihnen helfen kann."*

> *„Ich habe den Eindruck, daß etwas Sie sehr verärgert hat. Wie kann ich Ihnen helfen?"*

Diese Reaktionen erfordern zwar ein wenig Überwindung, helfen aber in aller Regel ungemein. Wundern Sie sich nicht, wenn Ihr Gesprächspartner Ihre Wahrnehmung mit den Worten *„Und wie ich mich ärgere, das ist doch ..."* verstärkt. Dies ist kein Grund zur Besorgnis, Ihre Botschaft ist dennoch positiv angekommen.

Widmen Sie sich dann dem Bericht des Kunden und zeigen Sie durch sprachliche Zuhörsignale Ihre Aufmerksamkeit. Unterbrechungen sind in dieser Phase unangebracht, damit der Erzählende sich von seinem Ärger freireden kann. Oder wenn Sie es tun, sagen Sie warum:

> *„Entschuldigen Sie, wenn ich Sie unterbreche. Sie sprachen davon, daß Sie gestern bei uns in der Werkstatt waren. Ich hab' eingangs leider Ihren Namen nicht richtig verstanden. Sind Sie bitte so freundlich und sagen ihn mir nochmals, damit ich Ihnen weiterhelfen kann."*

3.5.4.2 Auf die emotionalen und auf die Erlebnisanteile eingehen

Kundenaussagen bestehen zumeist aus Sach-, Erlebnis- und Gefühlsaussagen. Um an die Sachaussagen zu gelangen, müssen zunächst die anderen Aussageanteile berücksichtigt werden. Dies geschieht am besten durch Signale des Nachvollziehens und des Verständnisses:

> *„Ich kann mir gut vorstellen, daß es für Sie unangenehm ist, wenn Sie ..."*

> *„Ich kann mich – glaube ich – recht gut in Ihre Lage versetzen."*

> *„Mir ist durchaus verständlich, daß sie verärgert sind, wo jetzt ..."*

> *„Ich kann Ihre Verärgerung gut verstehen. Es ist sicher nicht schön, wenn ..."*

133

Durch diese Äußerungen fühlt sich der Reklamierende verstanden, er muß nicht um Gehör und Akzeptanz kämpfen und kann zum sachlichen Teil des Gespräches langsam übergehen. Erwarten Sie jedoch keine Wunder! Oftmals sind einige solcher Äußerungen vonnöten, um die „Gemüter" zu beruhigen.

3.5.4.3 Verpflichtung auf ein gemeinsames Ziel – Einsatz zeigen

Manchmal ist es unumgänglich, einen schimpfenden Gesprächspartner wieder auf „den Boden der Tatsachen" zurückzuholen. Moralische Appelle und Beschwichtigungen helfen da nichts, sondern verstärken eher noch den Unmut. In solchen Momenten kann es helfen, dem Gesprächspartner das gemeinsame Ziel der Mangelbeseitigung nochmals vor Augen zu führen und ihn darauf zu verpflichten:

> *„Herr Molper, ich kann gut verstehen, daß Sie ärgerlich sind. Doch wir wollen beide, daß Ihr Fahrzeug so schnell als möglich wieder einsatzbereit ist. Nicht wahr?"*

> *„Herr Belger, Sie wollen schnell wieder Freude an Ihrem Auto haben? Sind Sie so nett und ...!"*

Solche „Einschwörungen" können helfen, das Ziel bewußt zu machen, ohne mit dem drohenden Zeigefinger zu arbeiten.

3.5.4.4 Sachebene klären – Aktivierungsfragen – Umschreibendes Zuhören – Kontrollfragen

Natürlich müssen Sie sich zügig der Sachebene des Gespräches nähern, denn sie bringt Sie langfristig zur Sachlösung. Unumgänglich ist es hier, Aktivierungsfragen, umschreibendes Zuhören und Kontrollfragen einzusetzen. (Ausführliche Informationen hierzu siehe Kapitel 1.3)

> *„Herr Langer, wie hat sich das Geräusch das erste Mal bemerkbar gemacht?"*

> *„Herr Müller, wenn ich Sie richtig verstanden habe, dann verliert Ihr Fahrzeug seit der letzten Inspektion Wasser. Wann hat sich das erstmals bemerkbar gemacht?"*

> *„Herr Carstens, wo steht Ihr Wagen jetzt?"*

> *„Herr Lippert, ist Ihr Fahrzeug noch fahrbereit?*

> *„Frau Makkel, könnten Sie kurzfristig mit Ihrem Wagen bei uns vorbeikommen?"*

Sachliche Fragen zwingen den Gesprächspartner zu sachlichen Antworten. Erst dadurch kann sich der Mitarbeiter ein klares Bild vom Problem und seinen Konsequenzen machen.

3.5.4.5 Vorschlag unterbreiten und Rahmenbedingungen klären – Handlungsschritte aufzeigen

Reklamationen erfordern sachliche Fragen und sachliche Lösungen. Diese Lösungen sollten gemeinsam mit dem Kunden erarbeitet werden; der Kunde sollte in den Lösungsprozeß eingebunden werden, damit er auch langfristig zum Ergebnis steht. Darum müssen wir das Prinzip der Entscheidungsfreiheit berücksichtigen. Wer über den Kopf des Kunden hinweg Maßnahmen bestimmt, muß sich nicht wundern – auch wenn er im guten Glauben und zum Besten des Kunden gehandelt hat –, daß der Kunde mit dem „befohlenen" Weg nicht einverstanden ist. Schlagen Sie – wo immer dies möglich ist – alternative Lösungswege vor, oder, wenn sich nur ein Weg anbietet, bitten Sie den Kunden um seine Zustimmung.

„Herr Delter, ich schlage Ihnen vor, daß Sie zunächst nochmals in die Werkstatt kommen und wir uns das Problem direkt am Fahrzeug ansehen. Was halten Sie davon?"

„Herr Kandel, es bieten sich uns hier zwei Möglichkeiten an: wir könnten ... oder .... Welcher Weg wäre Ihnen angenehmer?"

„Frau Sebastian, wenn es Ihnen zu unsicher ist, jetzt mit dem Wagen zu fahren, dann könnte ich Ihnen einen Mechaniker rausschicken, der sich das Fahrzeug ansieht."

In einigen Fällen ist es auch durchaus sinnvoll, den Kunden zu einem eigenen Vorschlag zu bewegen. Vielleicht sind die „Forderungen" und Wünsche weit weniger aufwendig als der Vorschlag, den wir unterbreiten würden. Insbesondere ist diese Methode dann angebracht, wenn bereits einige Vorschläge unsererseits als indiskutabel abgeschmettert wurden.

„Herr Clasen, darf ich Sie offen fragen, wie Sie sich die Lösung vorgestellt haben?"

„Herr Werner, was sollten wir Ihrer Ansicht nach jetzt tun?"

„Herr Schöttler, welchen Vorschlag erwarten Sie von uns?"

Natürlich dürfen diese Fragen an den Kunden nicht gestellt werden, wenn sie Zweifel an unserer Fähigkeit der Problemlösung aufkommen lassen. Es kommt also auch hier auf die situativen Faktoren an, unter denen ihr Einsatz angebracht ist.

3.5.4.6 Vorschlag absichern und zu einem positiven Ergebnis kommen

Den Vorschlag abzusichern bedeutet, die Zustimmung des Kunden zum unterbreiteten Vorschlag zu bekommen und ihn nochmals in Form einer positiven Bestätigung zu wiederholen. Das festigt erstens die Kundenentscheidung, zweitens zeigen wir damit unser ernstes Problemlösungsinteresse und zusätzlich schützen wir uns vor späteren „Querschüssen" und vor Mißverständnissen.

„Prima, Frau Jordan, wie wir vereinbarten, schauen Sie heute nachmittag nochmals bei uns rein und wir werden uns der Sache dann gleich annehmen."

„Herr Jäger, ich werde also gleich unseren Abschleppwagen zu Ihnen in die Rheingasse fünf schicken, damit Ihr Fahrzeug eingeschleppt werden kann. Sobald uns dann ein Ergebnis der Schadensfeststellung vorliegt, werde ich Sie umgehend anrufen."

Vermeiden Sie Standardformulierungen! *„Also, wie besprochen", „Okay, wir machen das so!"*, gehören in diese Kategorie. Konkretisierung bringt hier mehr Erfolg.

Ein positives Ergebnis sollte am Schluß eines Reklamationstelefonates stehen. Vergegenwärtigen wir uns nochmals die Tatsache, daß das Telefonat zumeist ja nur Maßnahmen einleiten kann und höchst selten schon selbst die Lösung hervorbringt. Gerade aus diesem Grund ist es besonders wichtig, zumindest psychologisch einen positiven Gesprächsabschluß zu schaffen. Stimmen Sie den Kunden hoffnungsfroh:

„Ich bin sicher, daß Sie mit dem Ergebnis zufrieden sein werden ... "

„Wir hoffen, die Sache jetzt zu Ihrer vollsten Zufriedenheit klären zu können ... "

„Ich freue mich, daß wir uns auf diesen Weg einigen konnten. Seien Sie versichert, daß wir alles tun werden, um die Sache zu einem glücklichen Ende zu bringen."

Bedanken Sie sich gegebenenfalls für den Anruf des Kunden.

„Herr Müller, herzlichen Dank, daß Sie uns so schnell informiert haben. Sie haben durch Ihre Aufmerksamkeit einen größeren Schaden verhütet."

„Herzlichen Dank für Ihren Anruf und für Ihre Offenheit. Wir werden Ihre Gedanken gern als Anregung aufnehmen."

Durch solche positiven Gesprächsabschlüsse bereiten Sie einen konfliktfreien persönlichen Kundenbesuch vor. Der Kunde wird insgesamt den Eindruck gewinnen, daß er auch mit einer Reklamation bei Ihnen gut aufgehoben ist und daß sich auch eine weitere Zusammenarbeit noch lohnt.

> Vergessen wir nie: Reklamationen sind die Prüfsteine der Beziehung zwischen dem Betrieb und dem Kunden und dürfen nicht zum „Scheidungsgrund" werden.

3.5.5 „Herr Mustermann telefoniert!" – Überarbeitetes Gesprächsbeispiel

A: *„Autohaus Kern, Weber, guten Tag!"*

B: *„Na endlich geht mal jemand bei Ihnen ans Telefon. Aber das war natürlich auch nicht anders zu erwarten. Also, passen Sie jetzt mal gut auf! Sie setzen am besten gleich einen Monteur in Bewegung, der diese Mistkarre bei mir abholt. Ich hab' nämlich die Nase gestrichen voll."*

A: *„Entschuldigen Sie bitte, daß es einen Moment dauerte, bis ich ans Telefon konnte. Ich hatte gerade ein Gespräch auf der anderen Leitung. – Sie sind sehr ärgerlich ... sagen Sie mir bitte Ihren Namen, damit ich Ihnen weiterhelfen kann."*

B: *„Mein Name ist Blatter von der Firma Odenwald. Natürlich bin ich sauer, das können Sie aber laut sagen."*

A: *„Herr Blatter, bitte erzählen Sie mir doch, was Ihre Verärgerung verursacht hat."*

B: *„Es geht um dieses Vehikel, das Sie mir aufgeschwatzt haben und das hinten und vorne nicht funktioniert. Braucht man doch nur die Zeitung aufschlagen, da steht doch alles haarklein drin, was bei dem Wagen nicht in Ordnung ist. Lesen Sie etwas keine Autotests?"*

A: *„Herr Blatter, ich weiß, es ist unangenehm, wenn am Fahrzeug etwas nicht funktioniert. Ist Ihr Wagen noch fahrbereit?"*

B: *„Doch, aber dreimal war ich jetzt in der Werkstatt wegen dem blöden Scheibenwischer, aber jedesmal trat der Fehler wieder erneut auf. Da kann doch was nicht stimmen."*

A: *„Herr Blatter, ich kann gut verstehen, daß sie ärgerlich sind, wenn ..."*

B: *„Ärgerlich ist gar kein Ausdruck. Sauer! Richtig sauer. Drei Reparaturversuche und dann wieder das gleiche Problem. Schafft es denn niemand bei Ihnen, das Problem in den Griff zu bekommen?"*

A: „Das hört sich wirklich nicht gut an, was Sie da schildern. Ich darf noch einmal nachfragen, damit es keine Mißverständnisse gibt. Der Scheibenwischer funktioniert überhaupt nicht oder ist nur eine Stufe defekt?"

B: „Nein, wie immer. Er funktioniert gar nicht. Aber das müßten Sie doch wissen, ich war mehrmals bei Ihnen!"

A: „Tut mir leid Herr Blatter, ich war die letzten drei Wochen im Urlaub. Da haben Sie sicher mit meinem Kollegen gesprochen. Aber natürlich muß Ihnen jetzt geholfen werden. Was meinen Sie, Herr Blatter, könnten Sie gleich mit Ihrem Wagen zu uns kommen, so bald es aufgehört hat zu regnen?"

B: „Prinzipiell ginge das schon, aber was mach ich mit meinen Terminen?"

A: „Herr Blatter, ich schlage Ihnen folgendes vor: Sie kommen zu uns, sobald der Regen aufgehört hat. Wir kümmern uns dann gleich um Ihr Fahrzeug und ich geb' Ihnen für die nächsten Stunden ein Ersatzfahrzeug, damit Sie Ihre Termine noch wahrnehmen können. Was halten Sie von diesem Vorschlag?"

B: „In Ordnung. Aber eines sage ich Ihnen gleich: die Kosten übernehmen Sie."

A: „Natürlich, wenn es sich um einen von uns verursachten Schaden handelt, stehen wir auch dafür gerade. Aber lassen Sie uns doch zunächst wie vereinbart verfahren. Wir wollen doch beide, daß Ihr Fahrzeug so schnell als möglich wieder einsatzfähig ist."

B: „Na klar!"

A: „Herr Blatter, ich verspreche Ihnen, wir werden uns voll für Sie und für Ihr Fahrzeug einsetzen. Ich freue mich, daß wir so schnell einen gemeinsamen Weg gefunden haben. Vielen Dank für Ihren Anruf."

B: „Gut, bis gleich. Auf Wiederhören."

A: „Auf Wiederhören Herr Blatter."

„Mit Geduld und Spucke fängt man jede Mucke!" sagt der Volksmund. Frei übersetzt für die telefonische Reklamation könnte es dann heißen: „Mit Geduld und Gesprächsgeschick bricht sich am Telefon niemand das Genick!".

4. „Der heiße Draht zum Kunden" – Telefonmarketing im Verkauf

Ohne Telefon ginge es im Verkauf heute sicher nur schwerlich vorwärts. Denn von A bis Z, von der Akquisition bis zur Zufriedenheitsnachfrage kann das Telefon im Verkauf erfolgreich genutzt werden und ist somit unverzichtbar geworden. Automobilverkauf ohne Telefon ist wie ein Automobil ohne Lenkrad: nicht steuerbar, dem Zufall überlassen. Aber genauso wie ein Lenkrad nicht die Fahrkünste des Chauffeurs ersetzen kann, wird das Telefon den Verkauf nicht ohne das Steuerungsgeschick des Verkäufers ans Ziel bringen. Das Telefon benötigt den Fahrer, der die Strecke kennt. Wer drauflos telefoniert, wird nur durch Zufall ans Ziel kommen oder gar auf Grund laufen.

Telefonmarketing im Verkauf, das heißt systematisches Vorgehen in Vorbereitung und Ausführung von Telefonaten bei einer Vielzahl von Gesprächsanlässen.

	Kunden	Nicht-Kunden
PASSIV	● Anfragen – Preis und Rabatt – Gebrauchtwagen – Prospekte (Kapitel 4.1)	● Anfragen – Preis und Rabatt – Gebrauchtwagen – Prospekte (Kapitel 4.1)
AKTIV	● Kundenkontaktgespräche – Zufriedenheitsnachfrage – Aktivierung von „Karteileichen" (Kapitel 4.2)	● Akquisitionstelefonate (Kapitel 4.3)

4.1 „Vorsicht! Kunde droht mit Auftrag!" – Die telefonische Interessentenanfrage im Verkauf

Das Autohaus lebt vom Automobilverkauf. Ohne Neu- oder Gebrauchtwagenverkauf entsteht kein Werkstattumsatz und kein Ersatzteil- oder Zubehörgeschäft. Dazu sind Kunden notwendig und die wiederum werden aus Interessenten geboren. Interessenten sind wie Larven, aus denen sich bunte Schmetterlinge entpuppen können. Doch wer Larven vernichtet, muß sich nicht wundern, daß die Schmetterlinge ausbleiben. Da haben Hersteller und Händler weder Mühen noch Kosten gescheut, um den Führerscheininhaber für ein Fahrzeug zu interessieren. Der Interessent hat sich nach langer Informations- und Überlegungszeit zur aktiven Ansprache durchgerungen und „steht" nun telefonisch „vor der Tür". Da heißt es aufgepaßt!

A: *„Firma Schneider, guten Tag."*

B: *„Guten Tag. Ich hätte Interesse an einem Rondo. Haben Sie so ein Fahrzeug?"*

A: *„Ja, wir haben mehrere davon auf dem Hof. Wenn Sie mir mal Ihren Namen sagen!"*

B: *„Mein Name ist Füller."*

A: *„Gut Herr Füller, wollen Sie sich das Fahrzeug mal ansehen?"*

B: *„Ja, gerne! Kann ich auch mal eine Probefahrt machen?"*

A: *„Das ist machbar. Wann?"*

B: *„Wenn es geht heute?"*

A: *„Gut! Sie kommen dann zu uns. Haben Sie sonst noch Fragen?"*

B: *„Ne, danke."*

A: *„Na dann bis später."*

Lebt die Larve noch? Wahrscheinlich nicht, denn es scheint so, als hätte die Abteilung „Auftragsabwehr" hier wieder einmal ganze Arbeit geleistet. Oder glauben Sie, daß ein Interessent noch besondere Freude an einer „Beziehungsvertiefung" hat, nachdem er so telefonisch abgefertigt wurde?

Da bekundet ein Mensch ausdrücklich Interesse an einem Fahrzeug aus der Modellpalette und so, als sei dieses Interesse das Selbstverständlichste auf der Welt, wird der Mensch behandelt. Es ist ja auch erst der Zweihundertste, der sich am heutigen Tag um eine Probefahrt bewirbt. „Name, Uhrzeit ... und jetzt fehlt nur noch die Führerscheinnummer und schon dürfen sie bei uns auch eine Probefahrt machen!" Nein, telefonische Anfragen sollten anders behandelt werden.

4.1.1 „Schön Sie zu hören!" – Die Ziele einer telefonischen Anfrage

Wie wollen Sie selbst behandelt werden, wenn Sie Ihre Energie aufwenden und bei einem Unternehmen nach einer Leistung oder einem Produkt nachfragen? Möchten Sie von der „Auftragsabwehr" ausgefragt oder lieber von der „VIP-Abteilung" hofiert werden?

Versetzen Sie sich bitte einmal in die Lage des Anrufers! Was treibt ihn dazu, gerade bei uns anzurufen und Informationen zu einem Neu- oder Gebrauchtfahrzeug einzuholen? Da wird nachgefragt, ob ein bestimmtes Modell sich in unserem Gebrauchtwagenangebot befindet, da werden Preise, Lieferzeiten, Leasingkonditionen oder Ausstattungsmerkmale eines Fahrzeugs erforscht, Probefahrtwünsche werden geäußert oder technische Details erkundet. Eine bunte Palette an Informationsfragen dringt in diesen Momenten durch die Hörmuschel.

Und all diese Fragen sind Zeichen eines „Gemützustandes" des Anrufers: er ist „kaufschwanger". Er bereitet eine Kaufentscheidung vor, die früher oder später einmal fallen wird. Ob jedoch die „Geburt" schon morgen erfolgt oder erst in einigen Monaten ins Haus steht, das weiß der Befragte nicht, das ist das Geheimnis des Anrufers. Sein Ziel ist es, noch in der Anonymität des Telefons versteckt zu bleiben. Er will Auskünfte ohne Verpflichtungen, denn oftmals wird gerade der telefonische Weg ins Autohaus gewählt, um nicht verkäuferisch „gefangengenommen" zu werden.

Das Ziel des befragten Verkaufsmitarbeiters sieht anders aus: er will die Verpflichtung. In irgendeiner Form muß er Verbindlichkeit herstellen, möglichst den Namen und die Anschrift des Anrufers erfahren, um vielleicht einen Prospekt zuzusenden und später selbst nochmals telefonisch nachzuhaken oder besser noch, einen persönlichen, verbindlichen Termin vereinbaren. Denn: aus der Anfrage soll einmal der Abschluß werden, ein Neu- oder Gebrauchtwagen soll verkauft werden. Warum sollte der Verkaufsberater auch diese Chance der Kundengewinnung an sich achtlos vorbeiziehen lassen, ohne den Versuch der Bindung unternommen zu haben? Die „Frei-Haus-Lieferung" von potentiellen Kunden gehört doch nun mal nicht zur täglichen Selbstverständlichkeit. Der Nichtkunde wird telefonisch aktiv und das ist die Stunde des Verkaufsberaters, einen neuen Kunden zu gewinnen.

4.1.2 „Die Sache mit der Achillesferse" –
Typische Fehler, die den Erfolg beeinträchtigen

Anrufende Interessenten sind die Kunden von morgen, wenn man sie entsprechend behandelt und die Kontaktchance nutzt. Sie können schnell wieder zu Unbekannten werden, wenn sie falsch behandelt werden.

1. Fehler: Interessentenanrufe werden als lästige „Zeitfresser" angesehen.

2. Fehler: Nur die pure Information wird vermittelt.

3. Fehler: Der Interessent wird verkäuferisch bedrängt.

4. Fehler: Das Gespräch wird zu detailliert geführt.

5. Fehler: Das Gespräch endet mit unverbindlichen Schlußformeln.

4.1.2.1 Interessentenanrufe werden als lästige „Zeitfresser" angesehen

Das Telefon wird von vielen Autohausmitarbeitern als „Zeitfresser" betrachtet. Diese Einstellung verstärkt sich besonders in Telefonaten, in denen „nichts 'rumkommt". Interessentenanfragen werden häufig so eingestuft. Die telefonischen Prospektsammler, die „einem sowieso nur ein Loch in den Bauch fragen", sind jedoch auch Akquisitionschancen, die nicht übersehen werden dürfen. Da wird die Telefonschnur zum Zugseil des Verkäufers. Wer diese Anrufe nach dem Motto *„Bitte belästigen Sie mich nicht!"*, statt nach der Devise *„Danke für Ihren Anruf!"* behandelt, dem fehlt der Blick für das Wesentliche.

4.1.2.2 Nur die pure Information wird vermittelt

Natürlich wollen Anrufer etwas erfahren, sonst würden sie nicht zum Hörer greifen. Der Befragte soll Auskunft geben. Doch wer diese Auskünfte gibt, so als säße er am Informationsschalter, der handelt nachlässig. Informationsfragen des Anrufers sind Anknüpfungspunkte für Gespräche, es sind Kontaktmöglichkeiten, um Aufmerksamkeit und Neugierde entstehen zu lassen, um in der „Kaufschwangerschaft" des Kunden ihm beratend zur Seite zu stehen.

4.1.2.3 Der Interessent wird verkäuferisch bedrängt

Verkäuferische Aktivitäten sind notwendig, doch sie dürfen nicht übertrieben werden. Der Anrufer wählt oftmals das Telefon als ersten Kontaktweg, gerade weil es ihm Distanz verschafft und er sich hinter dessen Anonymität verstecken kann. Wer ihn dort aus seinem Versteck zu forsch herauszuholen versucht, wer „mit der Tür ins Haus fällt", z. B. indem er zu früh nach persönlichen Daten fragt oder vorschnell das Angebot eines „Hausbesuches" unterbreitet, der darf sich über das Zurückziehen des Anrufers nicht wundern. Jeder Interessent weiß zwar, daß der Verkäufer vom Verkauf lebt, aber er will nicht überrollt werden.

4.1.2.4 Gespräche werden zu detailliert geführt

Genauigkeit ist die Tugend der Fleißigen. Doch sollte der Berater nicht zu tugendhaft in diesem Gespräch und noch dazu am Telefon sein. Wer seine „Argumentationsplatte" auflegt, spielt die falsche Musik. Weder das technische Detail, noch die Feinheiten der Produktargumentation sollten zum Gesprächsthema werden. Das Telefonat kann die Produktpräsentation oder die Probefahrt nicht ersetzen, es kann nur neugierig darauf machen, kann sie vorbereiten. Detaillierte Argumente können detaillierte Einwände hervorrufen und damit das Gespräch töten. Und wer in diesem Telefonat Preis- und Rabattgespräche führt oder gar Gebrauchtwagen-Hereinnahmepreise nennt, der baut seine eigenen Fallen.

4.1.2.5 Gespräche enden mit unverbindlichen Schlußformeln

Wer kennt sie nicht, die Schlußformulierungen der Anrufer: *„Ich danke für Ihre Auskunft!"*, *„Ich melde mich dann bei Ihnen!"*, *„Sie hören von mir!"* usw., da will man noch *„in Ruhe überlegen"*, *„sich die Sache nochmals durch den Kopf gehen lassen"* oder mal *„bei Gelegenheit vorbeikommen"*. Nette Worte, die zumeist den Anrufer dorthin zurückbringen woher er gekommen war: in die Anonymität. Wenn das Gespräch so endet, dann war wirklich nur ein „Zeitfresser" am Werke. Doch dies liegt nicht nur am Anrufer! Vielleicht war es die Muffeligkeit des Befragten, seine Steifheit oder auch die zur Schau gestellte rhetorische Überlegenheit, die den Interessenten keine Sympathie- und Vertrauensbrücke bauen ließen. Vielleicht war es auch die Gedankenlosigkeit des Beraters, die ihn die Unterbreitung eines Vereinbarungsvorschlags vergessen ließ.

4.1.3 „Wo bitte geht es zum Verkauf?" – Das systematische Vorgehen bei einer telefonischen Anfrage

Die Kunst des erfolgreichen Verkäufers besteht darin, alle sich ihm bietenden Chancen richtig zu nutzen. Für die telefonische Anfrage bedeutet dies, aus einer einfachen Information eine Verkaufsvorbereitung zu machen. Dabei sind die folgenden Gesprächsschritte erfolgssteigernd:

Gesprächsleitfaden Interessentenanfrage

1. Schritt: Positive Reaktion auf den Interessentenanruf.
2. Schritt: Konkretisierung des Bedarfs.
3. Schritt: Informationsübermittlung und Gesprächsvertiefung.
4. Schritt: Vereinbarungsinitiative.
5. Schritt: Einwandbehandlung.
6. Schritt: Vereinbarung.

4.1.3.1 Positive Reaktion auf den Interessentenanruf

Die Gesprächsinitiative in diesem Telefonat geht vom Interessenten aus, er schildert zunächst sein Anliegen und der Autohausmitarbeiter muß sich anfangs auf seine Zuhörerrolle beschränken. Doch bereits jetzt kann der aufmerksame Zuhörer wichtige Aufschlüsse über den Anrufer, seine Wünsche und Erwartungen erhalten. Denn dessen Formulierungsspektrum reicht von der diffusen „Ich interessiere mich für ...“-Bekundung bis hin zur präzisen „Haben Sie einen X, Baujahr Y, mit Z Kilometern?“-Bestandsanfrage. Der Grad der Genauigkeit und Gezieltheit dieser Formulierung macht dem Telefonprofi die Situation des Anrufers deutlich. Je gezielter der Interessent vorgeht, desto wahrscheinlicher ist es, daß er sich bereits in einem tieferen Kaufentscheidungsstadium befindet. Entsprechend variabel muß auch die positive Beraterreaktion auf den Interessentenanruf ausfallen. Wesentlich bei allen Reaktionsmöglichkeiten ist es jetzt jedoch, daß der Anrufer für sein offen oder versteckt gesendetes Interessesignal belohnt und bestätigt wird.

Auf offen gesendete Interessebekundungen nach dem „Ich interessiere mich für“-Muster können beispielsweise folgende Verstärkungen „gesendet“ werden:

„Ich freue mich über Ihr Interesse an unseren Fahrzeugen.“

„Ich sehe, Sie haben aus der Vielzahl der Automobile auf dem Markt schon ein tolles Fahrzeug ins Auge gefaßt.“

„Ihr Interesse an diesem Fahrzeug kann ich gut verstehen.“

„Ich merke, Sie haben Geschmack.“

„Ich merke, Sie kennen sich mit Automobilen aus.“

Auch bei konkreten Fragen des Anrufers können Sie solche Positivsignale senden:

145

„Es freut mich, daß Sie sich mit Ihrer Frage an uns wenden."

„Sehr gerne will ich Ihnen mit den entsprechenden Informationen behilflich sein."

„Schön zu hören, daß Sie sich bereits so ausführlich mit dem Fahrzeug befaßt haben."

Bereits einfache, kurze „Ja, gerne"-Reaktionen können einen Belohnungscharakter haben.

Kommt der Anruf aufgrund einer Kundenempfehlung zustande, sollte im späteren Verlauf des Gespräches die Zufriedenheit dieses Kunden aufgegriffen und mit ihr argumentiert werden.

Oftmals bringt der Anrufer bereits in seiner Einstiegsformulierung positive Äußerungen zu dem entsprechend nachgefragten Fahrzeug. Derart geäußerte Positivbekundungen dürfen keinesfalls achtlos an uns vorüberziehen. Verstärken Sie auch solche Äußerungen unbedingt:

„Toll, daß Ihnen der Wagen bereits so gut gefällt."

„Stimmt, der Camra ist ein Superauto."

„Richtig, mit diesem Wagen fährt man rundum sicher."

Durch solche bewußten Reaktionen vertiefen Sie eine bereits beim Anrufer vorhandene Positivbeziehung zum Fahrzeug und ebnen so den Weg zu einem Verkaufsabschluß.

4.1.3.2 Konkretisierung des Bedarfs

In einer Reihe von Gesprächssituationen empfiehlt es sich, die vom Telefonpartner gestellte Frage zu hinterfragen und zu präzisieren, um ungenaue oder falsche Auskünfte zu vermeiden. Der Interessent ist in der Regel Laie, ihm fehlen die Detailkenntnisse, um seine Frage fachgerecht zu formulieren. Da wird beispielsweise pauschal nach dem Neuwagenpreis gefragt, ohne die gewünschten besonderen Ausstattungsmerkmale zu erwähnen. Wer ohne Nachfrage pauschal antwortet, muß sich über spätere „Das hätten Sie mir aber früher sagen müssen"-Quengeleien nicht beschweren. Gleichzeitig schafft das Nachfragen eine Umkehrung der Gesprächsinitiative für den Verkaufsberater: aus einem passiven Gesprächsverhalten wird ein aktives. Außerdem erfährt man so ganz nebenbei mehr über die Wünsche, Vorstellungen und Erwartungen des Interessenten.

Je nach Anfrage des Anrufers ergeben sich unterschiedliche Reaktionsmöglichkeiten.

146

Zum Beispiel bei Fragen nach Produkt- oder Ausstattungsmerkmalen:

„Darf ich Sie zunächst fragen, ob Sie den XX oder den XY meinen?"

„Haben Sie dabei an das Fahrzeug mit tausend Kubik oder an das mit zwölf-hundert gedacht?"

Ebenso bei Preisanfragen:

„Hatten Sie dabei an den Grundpreis oder bereits an bestimmte Ausstattungsmerkmale gedacht?"

Und natürlich auch bei Lieferzeiten:

„Ich würde Ihnen gern eine ganz genaue Antwort geben. An welches Modell hatten Sie gedacht?"

Natürlich dürfen Sie mit Ihren Fragen dem Anrufer nicht „auf den Wecker gehen"! Sie müssen frei von jeglichem trotzigen Unterton sein, freundlich und sachlich gestellt werden. Damit nicht der Eindruck des unnötigen Hürdenaufbaus entsteht, empfiehlt es sich, die Ihnen bereits bekannte Fragebegründung einzusetzen.

„Die Lieferzeiten bei diesem Modell sind je nach Ausstattungsmerkmalen recht unterschiedlich. Wenn Sie mir Ihre Wünsche zu dem Fahrzeug in puncto Ausstattung nennen können, kann ich Ihnen eine genaue Antwort geben."

„Bitte haben Sie Verständnis dafür, daß ich Ihnen Ihre Frage nicht so auf Anhieb beantworten kann. Die Lieferzeiten für die Modelle variieren je nach Farbwahl. Wenn Sie mir Ihre Wunschfarbe nennen, dann kann ich für Sie die entsprechende Lieferzeit genau feststellen."

Manchmal ergibt sich auch aufgrund der Beschaffenheit der gestellten Frage eine bewußt herbeigeführte Gesprächsunterbrechung mit der Möglichkeit eines Rückrufs:

„Bitte haben Sie Verständnis dafür, daß ich Ihnen Ihre Frage nicht so auf Anhieb beantworten kann. Die Lieferzeiten für die Fahrzeuge variieren je nach Ausstattungsmerkmalen. Wenn Sie mir Ihre Wünsche nennen, dann könnte ich für Sie schnell beim Herstellerwerk anrufen und die genaue Lieferzeit erfragen. Ich würde Sie gleich danach zurückrufen. Sind Sie damit einverstanden?"

Mit diesem kleinen Trick können Sie sich gegebenenfalls einen wertvollen Vorsprung verschaffen und die Telefonnummer des Interessenten erfahren. Sie machen so aus einem passiven Telefonat eine aktive Gesprächssituation, auf die Sie sich vorbereiten und somit Ihre Strategie festlegen können. Wo immer sich

147

diese Möglichkeit anbietet, sollten Sie sie ergreifen. Aber Vorsicht, der Anrufer darf diese Verzögerungstaktik nicht durchschauen.

4.1.3.3 Informationsübermittlung und Gesprächsvertiefung

Das Gesprächsprinzip des Beraters muß es sein, Anknüpfungspunkte für eine Gesprächsvertiefung zu finden. Dies ist um so schwieriger, je genauer der Anrufer seine Frage formuliert. „Hat der XY einen geregelten Katalysator?", „Gibt es den Z auch mit Allradantrieb?", „Wie teuer ist der XX?", „Wieviel Lieferzeit hat der ...?" usw. Genaue Fragen erfordern genaue Antworten und oftmals ist die gestellte Frage bereits mit einem kurzen Ja oder Nein beantwortet und damit die Gefahr groß, daß der Interessent kurz danach wieder „verschwindet". Aus diesem Grund sollten Sie auch hier den Versuch unternehmen, durch Fragen Anknüpfungspunkte zu finden.

Bei allgemeinen Interessenfragen könnte es heißen:

„Sind Sie bereits mit einem X gefahren?"

„Konnten Sie das Fahrvergnügen in einem Y schon einmal genießen?"

„Darf ich von Ihnen erfahren, was Ihr Interesse gerade an dem Z ausmacht?"

Stellt der Anrufer Ihnen genaue Faktenfragen, so können Sie die Information gegebenenfalls mit einer weiterführenden Frage verbinden:

„Ja, der XX hat einen geregelten Katalysator. Herr Kunde, Sie erkundigen sich nach einem so wichtigen Detail, ich nehme an, daß Sie sich das Fahrzeug bereits näher angesehen haben. Haben Sie ihn auch schon einmal probegefahren?"

4.1.3.4 Vereinbarungsinitiative

Vereinbarungsinitiativen müssen behutsam mit dem Fingerspitzengefühl für den richtigen Moment in Angriff genommen werden. Der zu frühe „Schuß aus der Hüfte" verfehlt oft sein Ziel oder kommt als „Querschläger" auf uns zurück. Darum heißt es, den richtigen Moment für die Initiative zu wählen, ohne den Kunden zu verschrecken und mit „der Tür ins Haus zu fallen". Oftmals empfiehlt es sich, bereits gleichzeitig mit der Informationsweitergabe diesen Schritt zu unternehmen. Geben Sie die Auskünfte so, daß sie mit einem Anreiz für ein persönlichen Termin (z. B. Probefahrt) verbunden sind:

„Ja, der Limba ist auch mit einem Automatikgetriebe lieferbar. In einem persönlichen Gespräch würde ich Ihnen das gern einmal demonstrieren. Darf ich Sie zu einer Probefahrt einladen?"

„Es würde fast den Rahmen unseres Telefonates sprengen, wenn ich Ihnen alle technischen Neuerungen des Fahrzeuges aufzählte. Was halten Sie davon, wenn ich Ihnen den Wagen einmal persönlich vorstelle? Wenn Sie es wünschen, dann komme ich auch gerne mit dem Fahrzeug zu Ihnen."

Jede Vereinbarungsinitiative sollte auf maximal zwei Wahlmöglichkeiten beschränkt werden. Zu viele Angebote verwirren nur. Also nicht: „Sie können den Wagen als Diesel, als Turbodiesel oder in der Sechszylinder-Version fahren. Natürlich steht Ihnen auch das 120-PS-Modell zur Verfügung."

Auch das Angebot einer Prospektübersendung ist bei vorsichtigen Interessenten durchaus angebracht.

„Ja, Herr Krause, das Fahrzeug gibt es auch mit einem Sechszylindermotor. Möchten Sie sich an Hand eines Prospektes vielleicht noch näher informieren? Ich würde Ihnen gern unser Informationsmaterial zusenden. Wenn Sie mir bitte Ihre Anschrift geben."

Der Profi weiß: Die Prospektübersendung muß unbedingt von einer späteren telefonischen Nachfaßaktion begleitet werden.

4.1.3.5 Reaktion auf Anruferwiderstände

„Das muß ich mir erst noch einmal überlegen!", so lautet eine häufige Reaktion des Anrufers auf vorgeschlagene Aktivitäten. Es handelt sich hierbei um eine Fluchtreaktion, um nicht verkäuferisch eingefangen zu werden. Auch wenn Sie wissen, daß der Interessent hier „auf der Flucht" ist, zeigen Sie ihm dennoch Verständnis und versuchen Sie durch weitere Fragen mehr aus ihm herauszubekommen.

„Herr Müller, das verstehe ich sehr gut. Eine Kaufentscheidung zu einem Automobil will reiflich überlegt werden. Wann darf ich Sie nochmals ansprechen?"

„Verständlich, daß Sie sich Ihre Entscheidung gut überlegen wollen. Womit kann ich Ihnen in Ihren Überlegungen behilflich sein?"

„Ihre Ansicht kann ich gut nachvollziehen. Was halten Sie davon, wenn ich mich in der nächsten Woche (in den nächsten Tagen usw.) nochmals bei Ihnen melde?"

Je nach weiterer Reaktion des Interessenten können Sie das Gespräch vertiefen oder auch nochmals einen Vorschlag zum weiteren Vorgehen unterbreiten. Keinesfalls aber sollten Sie sich an Ihrem Gesprächspartner „festbeißen". Manche Kaufentscheider benötigen eine längere Überlegungszeit und reagieren mit starkem Widerstand, wenn Sie den Eindruck gewinnen, man wolle ihnen etwas „aufschwatzen" und sie zu einer Entscheidung drängen.

Der Tip: Auch wenn der Anrufer jetzt zu keiner Aktion zu bewegen ist, bleibt Ihnen – sofern vorhanden – die Möglichkeit, die regelmäßige Übersendung einer Haus- oder Fahrerzeitschrift anzubieten. Sie erhalten dadurch einen erneuten Gesprächsanlaß für einen späteren Anruf.

4.1.3.6 Vereinbarung und Gesprächsabschluß

Wenn es Ihnen gelungen ist, den Anfragenden zu einer positiven Reaktion auf Ihre Vereinbarungsinitiative hin zu bewegen, dann gilt es diese Vereinbarung zu konkretisieren und den Anrufer positiv auf das nun folgende Erlebnis einzustimmen.

> *„Schön, Herr Meier, wie vereinbart, treffen wir uns morgen vormittag um 10.00 Uhr im Betrieb. Dann stelle ich Ihnen den Wagen für eine ausgiebige Probefahrt zur Verfügung. Sie werden sehen, es wird ein Tag voller Fahrspaß für Sie."*

Darüber hinaus können Sie eine stärkere Verbindlichkeit einer vereinbarten Probefahrt erzeugen, wenn Sie konkrete Handlungen formulieren:

> *„Herr Klasen, ich habe mir den Termin im Kalender für Dienstag, 16.00 Uhr eingetragen."*

> *„Herr Schüller, das Fahrzeug bleibt für Sie am Mittwoch, den ... für den ganzen Tag reserviert."*

Auch wenn eine Vereinbarung bezüglich eines Probefahrttermins getroffen wurde, können Sie durchaus nach der Telefonnummer des Anrufers fragen, um so bei seinem Nichterscheinen telefonisch nachzuhaken:

> *„Herr Löffler, sind Sie telefonisch erreichbar, falls sich vorher noch Fragen ergeben oder – was wir natürlich nicht hoffen wollen – falls unsererseits etwas Unvorhergesehenes dazwischenkommt?"*

> *„Herr Klausmann, vereinbarungsgemäß werde ich Sie in einer Woche nochmals anrufen, um mit Ihnen weitere anstehende Fragen zu besprechen. Ich denke, es wird für uns beide ein interessantes Telefonat werden."*

> *„Herr Kalinke, ich sende Ihnen die gewünschten Unterlagen heute noch zu. Wenn Sie diese in Ruhe studiert haben, rufe ich Sie am Donnerstag nochmals an. Viel Spaß beim Prospektstudium!"*

Hilfreich ist es, wenn Sie zum Abschluß des Gespräches nochmals auf der Erlebnisebene argumentieren, um dadurch einen hohen Anreiz für die weiteren

Aktivitäten (Präsentation, Probefahrt) zu geben. Gut einsetzbar sind hier Formulierungen, wie „Sie werden erleben, sehen" usw.

4.1.4 „Die Jagdsaison ist eröffnet!" –
Die Besonderheit der Preis- und Rabattanfrage

Ein Großteil der eingehenden Telefonate im Verkauf haben die Preis- und Rabattanfrage zum Ziel. In diese Kategorie gehören auch die Fragen nach Finanzierungs- und Leasingkonditionen. Hier setzt der Interessent das Telefon ganz gezielt als „Zeitspardose" ein. „Warum in der Gegend rumgondeln", denkt unser Neuwageninteressent, „wenn das auch telefonisch zu erledigen ist!" und er greift zum Hörer, um mal eben im Autohaus X und Y und Z den Neuwagenpreis zu erfragen, bzw. die Rabattfrage zu stellen. „Halali!", die „Preis- und Rabattjagd" ist eröffnet. Doch Vorsicht, nicht hinter jeder Frage nach dem Preis steckt die Erwartung, Rabattkonditionen zu erfahren. Wer sich vorschnell auf derartige telefonische Auskünfte einläßt, ist selbst schuld, wenn die Kunden in puncto Rabatt immer dreister werden.

Zunächst ist es auch hier – wie bereits dargestellt – empfehlenswert, die Preisanfrage des Anrufers zu präzisieren.

„Hatten Sie dabei an den Grundpreis oder bereits an bestimmte Ausstattungsmerkmale gedacht?"

Keinesfalls sollten Sie die Antwort auf eine konkrete Preisanfrage verweigern. Dies würde beim Anrufer nur den Eindruck der „Auftragsabwehr" hinterlassen.

Darüber hinaus empfiehlt es sich, die Preisnennung immer mit einer entsprechenden Argumentation und einer weiterführenden Frage, bzw. einer Vereinbarungsinitiative zu verbinden.

„Herr Johansen, der Lamda kostet in der Grundversion, die eine Vielzahl von Serienausstattungsmerkmalen hat, dreiundzwanzigtausendfünfhundert. Damit haben Sie dann ein Komplettfahrzeug, das sich sehen lassen kann. Sind Sie schon einmal mit dem Lamda gefahren? Wenn nicht, was halten Sie von einer ausgiebigen Kennenlernfahrt?"

Gegebenenfalls geäußerte Preiseinwände müssen Ihrerseits nach dem in Kapitel 1.3.4 vorgestellten Weg behandelt werden.

Fragen nach möglichen Rabatten sollten grundsätzlich, verbunden mit einem Einigungshinweis, auf das persönliche Gespräch „vertagt" werden. Wer telefonisch Rabatte nennt, spielt nicht nur mit dem Feuer der Abmahnung, sondern der ist auch sehr schnell am „Ende der Fahnenstange", an der das Gespräch tot ist.

A: *„Und was lassen Sie mir auf den Listenpreis nach?"*

B: *„Herr Kunde, bitte haben Sie Verständnis dafür, daß ich Ihnen diese Frage am Telefon nicht beantworten kann. In einem persönlichen Gespräch werden wir sicher eine für Sie befriedigende Lösung finden. Paßt es Ihnen heute Nachmittag gegen 17.00 Uhr?"*

Ähnliche Gesprächssituationen können sich auch ergeben, wenn der Interessent aufgrund einer Empfehlung eines unserer Kunden anruft, von dem er bereits dessen Konditionen erfuhr:

A: *„Ist das dann der gleiche Preis wie beim Meier?"*

B: *„Da bitte ich um Ihr Verständnis, daß ich über Geschäftsvorfälle keine Auskunft geben kann. Aber ich kann Ihnen versichern, das wir Ihnen ein attraktives Angebot unterbreiten können."*

Besonders spannend wird es dann, wenn wir mal eben via Ferndiagnose den Preis für seinen Gebrauchten nennen sollen. Wer sich auf dieses „Gebrauchtwagen-Hereinnahmepreis-Poker" einläßt, ohne den Wagen fachmännisch bewertet zu haben, muß sich über seine späteren Gebrauchtwagenhalden nicht wundern. Zwingend erforderlich ist es auch hier, den Kunden auf eine Besichtigung des Fahrzeugs zu „vertrösten".

„Herr Kaus, ich kann Ihren Wunsch nach einer schnellen Preisnennung für Ihr jetziges Fahrzeug durchaus verstehen. Sie wollen jedoch nicht nur schnell den Preis erfahren, sondern Sie wollen sicher auch einen guten und fairen Preis hören. Den kann ich Ihnen jedoch nur sagen, wenn ich mir vorher das Fahrzeug angesehen habe. Was halten Sie davon, wenn Sie kurzfristig bei uns vorbeischauen und wir uns über diese Frage an Ihrem Fahrzeug unterhalten? Paßt es Ihnen ...?"

Auch die Nennung von Finanzierungs- und Leasingkonditionen ist via Telefon kaum machbar. Zu viele individuelle Einflußgrößen treffen hier zusammen, als das eine korrekte Antwort „aus dem Hut" möglich wäre. Spätere Korrekturen der einmal genannten Konditionen führen nur zum „Lockeindruck" beim potentiellen Kunden. Erklären Sie auch dies Ihrem Anrufer und er wird für Ihr Verhalten Verständnis entwickeln können.

„Herr Josef, die Leasingkonditionen sind von einer ganzen Reihe von Einflußgrößen abhängig. Da spielt der Fahrzeugpreis entsprechend der Ausstattung eine Rolle, hinzu kommen Fahrleistung und Nutzungsdauer. Ich würde Ihnen gern in einem persönlichen Gespräch ein maßgeschneidertes Angebot unterbreiten. Was halten Sie von einem Termin am nächsten Freitag oder würde es Ihnen bereits heute passen?"

4.1.5 „Haben Sie den auf Lager?" –
Beachtenswertes bei Anfragen im Gebrauchtwagenbereich

Der Kunde sucht ein bestimmtes Fahrzeug. Auch er greift zum Telefon, um einen Rundruf bei allen stadtbekannten Autohäusern zu starten. Hören wir einmal in ein solches Telefonat hinein!

A: *„Guten Tag. Ich suche einen Gozzo L, haben Sie so etwas in Ihrem Gebrauchtwagenbestand?"*

B: *(lacht) „Sie sind gut. Ich hätte auch gern einen. Nee, die sind so gefragt, da kommt man kaum noch dran. Tut mir leid."*

A: *„Na ja, war ja auch nur mal 'ne Frage. Danke und auf Wiederhören."*

B: *„Viel Glück bei der Suche und wenn Sie einen gefunden haben, rufen Sie mich an, ich kauf' Ihnen den dann ab."*

Leider kein erfundenes Beispiel, sondern in dieser Form vom Autor einmal selbst erlebt. Auch wenn das gewünschte Fahrzeug nicht im Bestand ist, ergeben sich weiterführende Verkaufschancen. Betriebe, die ein aktives Gebrauchtwagenmarketing praktizieren kennen die „Leider nicht"-Antwort nicht. Dort sucht man für den Interessenten das entsprechende Fahrzeug und unterbreitet ihm am Telefon bereits ein entsprechendes Angebot oder versucht Ihn auf einen anderen Wagen „umzulenken".

„Ich muß Sie leider enttäuschen, das von Ihnen gewünschte Fahrzeug haben wir nicht. Sie wissen sicherlich, daß sich so etwas aber schnell ändern kann, wir bekommen ja laufend Fahrzeuge rein. Wenn Sie mir Ihre Rufnummer geben, würde ich mich bei Ihnen melden sobald sich etwas ergibt."

„Tut mir leid. Sie sind auf der Suche nach einem sehr begehrten Fahrzeug. Aber ich versuche gern für Sie an ein solches Fahrzeug heranzukommen. Wenn Sie mir Ihre Telefonnummer hinterlassen, klemme ich mich gleich dahinter und ruf Sie spätestens heute am späten Nachmittag an. Was halten Sie davon?"

Auch wenn Sie keinen Erfolg mit Ihrer Suche haben, sollten Sie den Kunden zum vereinbarten Zeitpunkt anrufen. Bieten Sie Ihm ein alternatives Automobil an. Zum Zeitpunkt eines späteren Rückrufes ist das zumeist einfacher, als wenn man dies bereits beim Erstgespräch versucht.

Wenn der vom Interessenten gesuchte Gebrauchtwagen sich in Ihrem Fahrzeugbestand befindet, können Sie gegebenenfalls mit der Reservierungsmethode arbeiten, um den potentiellen Kunden zu einem konkreten Verkaufsgespräch zu motivieren.

„Ja, wir haben gerade gestern das von Ihnen gewünschte Fahrzeug herein-
bekommen. Erfahrungsgemäß dauert es bei der heutigen Marktsituation
nicht lange und der Wagen hat einen neuen Besitzer. Was halten Sie davon,
wenn ich Ihnen den Wagen reserviere und wir uns gleich zu einem persönli-
chen Gespräch verabreden?"

4.1.6 „Wenn die Sammelleidenschaft erwacht!" –
Wenn der Kunde nur einen Prospekt zugesandt haben will

„Warum zum Händler fahren, wenn der mir ein Prospekt zusenden kann?",
denkt unser „Prospektsammler" und betätigt das Tastenfeld seines Telefons. Ob
es sich nur um den „Prospektsammler" handelt oder ein echter Interessent dahin-
tersteckt, ist oft nur schwerlich zu erfahren. Gefährlich ist es, all diese Anrufer
in die „Sammler-Schublade" zu stecken und dort verkümmern zu lassen. Auch
so können Chancen vertan werden. Natürlich ist die Trefferquote geringer als in
anderen Anfragesituationen, dennoch müssen wir auch hier am Ball bleiben.
Und das bedeutet:

> 1. Schritt: Bereits im Erstkontakt den Bindungsversuch unternehmen.
>
> 2. Schritt: Gewünschte Prospekte zusenden.
>
> 3. Schritt: Telefonisch nachfassen.

● Bereits im Erstkontakt den Bindungsversuch unternehmen:

Mit der Prospektübersendung ist es nicht getan. Telefonisches Nachfassen ist
unumgänglich. Am besten ist es, man kündigt dies dem Kunden vorher an:

> *„Selbstverständlich sende ich Ihnen gerne einen Prospekt zu. Wenn Sie mir*
> *bitte Ihren Namen und Ihre Anschrift geben."* (nachdem dies notiert wurde)
> *„Darf ich Sie in den nächsten Tagen anrufen? Aus Erfahrung weiß ich, daß*
> *sich zumeist noch einige Fragen ergeben, die könnte ich Ihnen dann beant-*
> *worten. Wäre es Ihnen am Mittwoch, gegen 17.00 Uhr recht?"*

Oder noch besser:

> *„Gern sende ich Ihnen das Informationsmaterial zu. Wie wäre es, wenn wir*
> *gleichzeitig einen Probefahrttermin vereinbaren? Sie haben dann genügend*
> *Zeit zur Vorinformation und können sich später vor Ort umfassend vom*
> *Fahrerlebnis beeindrucken lassen."*

● Gewünschte Prospekte zusenden:

Versehen Sie das übersandte Informationsmaterial mit individuellen handschriftlichen Hinweisen, so wie Sie es auch aus persönlichen Gesprächen kennen. Legen Sie ein nettes Kurzanschreiben bei, in welchem Sie Ihren Anruf ankündigen und vergessen Sie nicht Ihre Visitenkarte.

● Telefonisch nachfassen:

Nach etwa zwei bis drei Tagen empfiehlt sich die telefonische Angebotsverfolgung, in der die Gesprächsführung vertieft werden und jetzt auf einen persönlichen Termin hingearbeitet werden sollte.

4.1.7 „Herr Mustermann telefoniert!" – Überarbeitetes Gesprächsbeispiel

A: *„Guten Tag, Autohaus Schneider. Mein Name ist Klausen."*

B: *„Guten Tag. Ich hätte Interesse an einem Rondo. Haben Sie so ein Fahrzeug?"*

A: *„Ja, wir haben dieses Fahrzeug in unserem Programm. Wären Sie so freundlich und würden mir Ihren Namen sagen, damit ich Sie persönlich ansprechen kann?"*

B: *„Oh ja, ich vergaß. Mein Name ist Füller."*

A: *„Danke Herr Füller! Es freut mich, daß Sie sich für den Rondo interessieren. Das ist ja auch ein tolles Fahrzeug. Herr Füller, kennen Sie den Rondo bereits näher oder sind Sie ihn schon einmal gefahren?"*

B: *„Ich habe einen Kollegen, der fährt so einen seit kurzem. Und der Wagen gefiel mir halt, da wollte ich mich mal informieren."*

A: *„Es freut mich zu hören, daß Ihnen der Wagen gefällt. Haben Sie spezielle Fragen oder wollten Sie sich erst einmal ganz allgemein informieren?"*

B: *„Erstmal so allgemein, ich weiß eigentlich kaum etwas. Was kostet er denn?"*

A: *„Herr Füller, dann würde ich vorschlagen, daß Sie sich den Wagen zunächst einmal in unserem Hause ansehen und wir dann gleich eine Probefahrt machen. Das wäre sicher der beste Weg, um den Wagen kennenzulernen."*

B: *„mhm"*

155

A: „Herr Füller, was halten Sie von meinem Vorschlag?"

B: „Das hört sich zwar nicht schlecht an, aber ich weiß natürlich nicht, ob der Wagen preislich für mich in Frage kommt."

A: „Gut das Sie den Preis nochmals ansprechen. In der Grundversion, mit einer Fülle von serienmäßigen Ausstattungen, liegt der Wagen bei Dreiundzwanzigtausend und Sie haben ein tolles Auto voller Fahrkomfort und Sicherheit."

B: „Das ist aber ein stolzer Preis. Was lassen Sie denn so nach?"

A: „Herr Füller, bitte haben Sie Verständnis dafür, daß ich Ihnen diese Frage am Telefon nicht beantworten kann. In einem persönlichen Gespräch werden wir sicher eine für Sie befriedigende Lösung finden. Wie wäre es erstmal mit der Vereinbarung des angesprochenen Termins. Paßt es Ihnen heute nachmittag gegen 17.00 Uhr?"

B: „Ja, das würde gehen!"

A: „Prima. Kennen Sie unseren Betrieb und wissen Sie wie Sie zu uns finden?"

B: „Ja, ist bekannt!"

A: „Ach, übrigens ... Sie sprachen vorhin von einem Kollegen, bei dem Sie den Wagen kennenlernten. Hat dieser Kollege seinen Wagen vielleicht bei uns erworben?"

B: „Nein, nein! Der kommt aus Norddeutschland und hat ihn dort gekauft."

A: „Es hat mich deshalb interessiert, weil ich dann hätte einmal nachsehen können, welche Fahrzeugausstattung Sie bereits kennenlernten. Aber das werden wir auch so gemeinsam meistern. Na, dann kann uns ja zu unserem persönlichen Kennenlernen nichts mehr im Wege stehen. Wenn Sie bitte nachher dann im Betrieb nach mir fragen. Ich habe mir soeben unseren Termin in den Kalender eingetragen und werde ab 17.00 Uhr für Sie hier sein."

B: „Danke."

A: „Nichts zu danken Herr Füller. Sie werden sehen, wir haben nicht nur den tollen Rondo, sondern auch der Dienst am Kunden wird bei uns großgeschrieben. Ich freue mich auf Ihren Besuch. Auf Wiederhören."

B: „Okay, dann auf Wiedersehen."

4.2 „So fesseln Sie Ihre Kunden mit der Telefon- schnur!" – Kundenbetreuung und Kundenbindung durch aktive Telefonate

Die Grenzen des Wachstums im bundesrepublikanischen Automobilmarkt sind in Sicht. Neue Kunden werden in der Zukunft sehr wahrscheinlich nicht mehr wie ein warmer Regen über unsere Autohäuser niedergehen. Vielleicht werden sogar „Trockenzeiten" folgen. Stärker denn je kommt damit der Kundenbindung eine wachsende Bedeutung zu. Die Abwanderung von Kunden ist ein Luxus, den sich bereits heute kein Verkaufsberater mehr leisten kann. Fazit: Kunden müssen an das Produkt und das Haus gebunden werden. Das geht nur durch positive Erfahrungen! Die Tage, an denen Verkäufer sagen konnten: „Bis zum nächsten Kauf! Sie kommen dann ja von selbst!", sind längst gezählt. Heute müssen Kunden auch während der zwei oder mehr Jahre der Fahrzeugnutzung vom Verkauf stetig betreut werden. Der Kundenkontakt darf in dieser Zeit nicht nur Sache des Kundendienstes sein und für den Verkauf zum seltenen Ereignis werden. „Im Gespräch bleiben!" heißt die Devise des Profis und er greift zur Telefonschnur, um den Kunden zu fesseln:

A: *„Schubert."*

B: *„Autohaus Ring, Schleicher. Tag Herr Doktor Schubert!"*

A: *„Ja bitte, was kann ich für Sie tun?"*

B: *„Na, Herr Doktor, das klingt ja fast so, als würden Sie sich nicht mehr an mich erinnern. Hier spricht Klaus Schleicher, Ihr freundlicher Automobilver- käufer, der Ihnen vor zwei Jahren zu Ihrem tollen Wagen verholfen hat. Na, fällt jetzt der Groschen bei Ihnen?"*

A: *„Ach ja! Jetzt erinnere mich an Sie, Herr ... äh ... Was verschafft mir denn die Ehre Ihres Anrufs?"*

B: *„Nichts Besonderes! Reiner Routineanruf! Sie wissen doch, uns liegt das Wohl unserer Kunden am Herzen und da scheuen wir weder Mühen noch Kosten, um dies zu erreichen. Aber Spaß beiseite, wie geht es Ihnen denn so?"*

A: *„Danke der Nachfrage ..."*

B: *„Na, bestens. Das höre ich doch immer gern, wenn es meinen Kunden gut ergeht. Und was macht Ihr Schmuckstück?"*

A: *„Wovon reden Sie, Herr Schleicher?"*

B: *„Keine Angst, nicht von Ihrer Frau. Nein, Ihr hübschen Auto meine ich, das ich Ihnen verkauft habe."*

A: *„Dem geht es hoffentlich gut. Hab' es lange nicht gesehen."*

B: *„Aber Herr Schubert, Sie sind gut, haben ja sogar Humor. Nun mal im Ernst, sind Sie mit dem Wagen noch zufrieden?"*

A: *„Tut mir leid, Herr Schleicher, da müßten Sie schon den jetzigen Besitzer des Wagens fragen. Ich fahr' ihn seit zwei Monaten nicht mehr. Und nun muß ich unser Gespräch leider beenden, ich bekomme gerade Besuch. Und herzlichen Dank für Ihren Anruf, es war nett mal wieder mit Ihnen zu plaudern. Grüßen Sie mir doch bitte den jetzigen Besitzer des Wagens. Auf Wiederhören!"*

B: *„Ja, aber ... Herr Doktor Schu ... Mensch, jetzt hat der einfach aufgelegt."*

„Wer zu spät kommt, den bestraft das Leben", dies gilt auch für den Automobilverkauf. Aus dem „Fesselungsversuch" wurde eine „Verstrickung". Kundenkontaktpflege kann nicht heißen, sich nach Ewigkeiten mal eben so nebenbei zu melden und die Zeit des Kunden mit unnützen Floskeln und aufgesetzter Fröhlichkeit zu beanspruchen. So wird der Anrufer zum „Zeitfresser" bei seinem Telefonpartner und bringt sich damit nur auf unangenehme Weise in Erinnerung.

4.2.1 „Hallo, wie geht es Ihnen?" – Was im aktiven Kundentelefonat bedacht werden sollte

Wer im Gespräch bleibt, wer sich von Zeit zu Zeit in Erinnerung bringt, der wird auch bei der nächsten Kaufentscheidung mit „im Rennen sein". Und so ganz nebenbei erfahren Verkaufsprofis mehr über ihre Kunden und nutzen diese Informationen für spätere Abschlüsse. Jedes dieser Gespräche ist somit auch Teil einer kontinuierlichen Bedarfsanalyse. Die Konsequenz: Verkaufsberateranrufe müssen Bestandteil der Kundenkontaktpflege sein und dürfen weder dem Zufall noch der „Lust und Laune" überlassen werden. Das erfordert Systematik. Genauso wie die meisten Verkaufserfolge keine Frage der zufälligen Ereignisse sind, sondern Ergebnis kontinuierlicher Karteiarbeit, genauso erfordern die regelmäßigen Berateranrufe ein zielgerichtetes und geplantes Vorgehen. Dies ist zunächst eine Frage der Vorbereitung, welche mit der Beantwortung einiger Fragen beginnen sollte:

1. Frage: Wie häufig sollen Kunden kontaktiert werden?

2. Frage: Wie sollen sich persönliche Kontakte mit den telefonischen abwechseln?

3. Frage: Wie sind die Telefonate in ein bestehendes briefliches Kundenkontaktprogramm einzubauen?

4. Frage: Welche Gesprächsanlässe und Zielsetzungen können für die unterschiedlichen Anrufe gewählt werden?

Je klarer Sie für Ihr Haus diese Fragen beantworten und damit als überprüfbare Zielsetzungen für Ihre Verkaufsaktivitäten definieren, desto größer wird Ihre Erfolgswahrscheinlichkeit sein.

Für viele Verkaufsberater ist es schwierig, die Notwendigkeit solcher langfristig geplanten Kontaktgespräche zu akzeptieren und sie auch kontinuierlich auszuführen. Man ist es eher gewöhnt, vom sichtbaren Erfolg, vom Abschluß zu leben. Kontakttelefonate bringen keine unmittelbaren Abschlüsse, keine direkt und sofort meßbaren Erfolge. Sie wirken nur durch ihre Langfristigkeit erfolgreich. Dies muß jeder telefonierende Verkaufsmitarbeiter zunächst für sich akzeptieren, sonst wird er nicht die Motivation und Energie zur Ausführung für sich finden. Wer jedoch bemerkt, daß er sich mit diesen Gesprächen am Telefon Stück für Stück seinem langfristigen Ziel nähert, und daß sich so der Übergang zum nächsten Verkaufsabschluß fast nahtlos vollzieht, der macht für immer diese Kontakte zu seinem persönlichen „Geheimtip des Erfolges".

Verkäufer, die diese Form des Kundenkontaktes für sich akzeptieren, werden Gesprächsanlässe benötigen, um zielgerichtet vorgehen zu können. Hier einige Möglichkeiten:

1. Gesprächsanlaß: Die Zufriedenheitsnachfrage nach Neuwagenauslieferung.

2. Gesprächsanlaß: Die telefonische Einladung zu Sonderveranstaltungen (Tag der offenen Tür, Modellvorstellungen).

3. Gesprächsanlaß: Die eigene Vorstellung als neuer Verkaufsberater.

4. Gesprächsanlaß: Besondere Kontaktanlässe (z.B. besondere Ereignisse beim Kunden, Jubiläen, besondere Zubehörangebote wie z. B. Autotelefon, Alarmanlage o. ä.).

Diese Kontaktanlässe können sowohl für den Neuwagenkunden, als auch für den Käufer eines Gebrauchtfahrzeuges genutzt werden.

Leider ist es ein Großteil der Automobilkunden nicht gewohnt, derart telefonisch angesprochen zu werden. Für die meisten Automobilkäufer stellt es ein seltenes Ereignis dar, nach dem Kauf noch etwas vom Verkäufer zu hören. Dies bedeutet jedoch nicht, daß unsere Anrufe dadurch auf Widerstand oder gar Ablehnung beim Kunden stoßen. Ganz im Gegenteil: telefonisch freundlich angesprochene Kunden fühlen sich aufgewertet und sonnen sich im Licht der Beachtung.

Ein Wort zur Erreichbarkeit! Kein Kunde sitzt da und wartet geduldig auf den Anruf. Dies erfordert häufig wiederkehrende Wählversuche und Geduld. Für den Privatkunden liegt die beste Anrufzeit zumeist zwischen 16.00 und 19.00 Uhr. Bei Selbstständigen und Angestellten haben wir es da erheblich einfacher, denn die sind zumeist tagsüber in ihrem Büro „greifbar". Wenn Sie sich unzählige Wählversuche oder Anrufe zu unpassenden Momenten ersparen wollen, lohnt sich die Absprache von persönlichen Anrufzeiten, die dann Bestandteil der Kundenkartei werden sollten. Wie wäre es mit der freundlichen Frage nach der besten Anrufzeit bei Neuwagenauslieferung oder bereits vorher im Zuge der Verkaufsgespräche, wenn sich bereits dort ein aktuelle Anlaß ergibt. Also: Fragen kostet nichts, hilft aber ungemein (siehe hierzu auch Kapitel 1.3.2).

4.2.2 „Oh, Pardon!" – Häufige Fehler im Rahmen von Kundenkontakttelefonaten

Ein „Sie nerven mich!" werden Sie im Telefonat höchst selten zu hören bekommen, dennoch gibt es eine Reihe von Punkten, mit denen wir dem Angerufenen „auf die Füße treten" können oder die den empfindlichen Punkt eines solchen Telefonates treffen.

1. Fehler: Der telefonische Kontakt erfolgt zu selten oder zu häufig.

2. Fehler: Es wird spontan und unvorbereitet zum Hörer gegriffen.

3. Fehler: Es werden Signale auf dem „Kanal der Beiläufigkeit" gesendet.

4. Fehler: Es wird zu offensichtlich auf den nächsten Verkaufsabschluß hingearbeitet.

4.2.2.1 Der telefonische Kontakt erfolgt zu selten oder zu häufig

Die Kontakte des Autohauses dürfen dem Kunden nicht „auf den Wecker fallen". Wer als Kunde alle zwei Monate von seinem Autohaus Post, Anrufe oder Besuche bekommt, der kann sich schon mal genervt fühlen. Aber auch wer sich als Kundenkontakter zu selten meldet, kann sein „blaues Wunder" erleben. Es soll schon passiert sein, daß Verkäufer sich bei Kunden zu melden versuchten, die bereits verstorben waren. Sicher eine Seltenheit, aber daß zumindest Fahrzeuge zum Zeitpunkt des ersten Kontaktgespräches bereits das Zeitliche gesegnet hatten, das ist schon häufiger vorgekommen. Wohldosierte Kontakthäufigkeiten sind notwendig. Die Meinungen zur Dosierung gehen auseinander, doch vier Kontakte pro Jahr – in Kombination Brief, Telefon, Besuch – sind anzustreben.

4.2.2.2 Es wird spontan und unvorbereitet zum Hörer gegriffen

Die Vorbereitung ist das A und O der aktiven Telefonate im Autohaus und dies hat insbesondere für Kundenkontaktgespräche Gültigkeit. Keines dieser Gespräche ist ohne Vorgeschichte, keines ohne Hintergrund, denn der Angerufene ist unser Kunde. Und somit hatten wir gemeinsame Erlebnisse mit ihm, ob nun gute oder schlechte. Wer ins Fettnäpfchen tritt, weil er nicht vorher beim Kundendienstberater Informationen über aktuelle Ereignisse im Werkstattbereich einholte und ins offene „Reklamationsmesser" des Kunden lief, der zieht spätestens danach seine Lehren aus seiner Nachlässigkeit.

4.2.2.3 Es werden Signale auf dem „Kanal der Beiläufigkeit" gesendet

Wer nach dem Vertreter-Motto „Ich war gerade hier in der Gegend und dachte: ‚Schaust Du mal rein!'" anruft, wertet seinen Kunden unweigerlich ab. Signale der Beiläufigkeit hinterlassen zumeist einen schalen Geschmack. Der Kunde will und muß merken, warum wir uns jetzt um ihn bemühen, was das Ziel unserer Ansprache ist. Und wer auf die Frage „Sie wollen mir wohl wieder ein Auto verkaufen?" mit einem verschämten „Aber keineswegs!" antwortet, verschleiert seine Absichten.

4.2.2.4 Es wird zu offensichtlich auf den nächsten Verkaufsabschluß hingearbeitet

Wer ein halbes Jahr nach Neuwagenauslieferung bereits nach der nächsten Kaufentscheidung fragt, wessen einziges Ziel bei der Zufriedenheitsnachfrage im Sammeln von Referenzadressen besteht oder wer seine Verkaufsinteressen in den Vordergrund stellt, der wird mit negativen Reaktionen des Kunden rechnen müssen. „Nachtigall, ick' hör' Dir trapsen!" wird unser Kunde denken, wenn er bemerkt, daß es uns nicht um sein Wohl, sondern um unseres geht und er wird mit dem Rückzug reagieren. Oder wie ginge es Ihnen, wenn Sie einen freundlichen Anruf zu Ihrem Geburtstag erhielten, der sich später als getarntes Verkaufsgespräch entpuppte? „Kunde hat Vorfahrt!" muß die Devise lauten, dann stellt sich der Abschluß später wie von selbst ein.

4.2.3 „Wiederhören macht Freude!" –
Gesprächsleitfaden für Kundenkontaktgespräche

Nicht nur das Wiedersehen, auch das Wiederhören kann Freude bereiten. Damit Ihr Kundenkontaktgespräch zu einem Erfolg wird, ist das folgende Vorgehen empfehlenswert:

Gesprächsleitfaden Kundenkontaktgespräch

1. Schritt: Gesprächseinstieg.

2. Schritt: Bekanntgabe des Gesprächszieles.

3. Schritt: Konkrete Nachfrage bzw. Unterbreitung eines Vorschlags.

4. Schritt: Reaktion auf Kundenäußerungen bzw. Argumentation.

5. Schritt: Gesprächsabschluß.

4.2.3.1 Gesprächseinstieg

Der telefonierende Verkaufsprofi setzt die bereits dargestellten Elemente des Gesprächseinstiegs mit Meldung, „Identitätsfeststellung" und Sicherung der Gesprächsbereitschaft bewußt ein.

163

A: „Hallo!"

B: „Guten Tag, hier spricht Hesse, Jan Hesse vom Autohaus Westring. Spreche ich mit Frau Ulrike Bopper?"

A: „Ja, am Apparat."

B: „Schön, daß ich Sie gleich erreiche. Frau Bopper, ich hoffe mein Anruf kommt für Sie nicht ungelegen?"

A: „Nee, nee. Was kann ich für Sie tun?"

So kommt das Gespräch von Anbeginn auf die richtige Schiene. Welche alternativen Reaktionsmöglichkeiten Sie als Anrufer noch haben, finden Sie in Kapitel 2.2.

4.2.3.2 Bekanntgabe des Gesprächszieles

Berateranrufe gehören für viele Kunden nicht zur Alltäglichkeit. Seltene Ereignisse überraschen oder verängstigen gar, dies ist auch bei unserem Kunden möglich. Der möglichen Verunsicherung können Sie entgegentreten, indem Sie frank und frei Ihr Gesprächsziel bekanntgeben. Darüber hinaus macht es Ihre Gesprächsführung durch die bewirkte Gesprächsstrukturierung effizienter. Die berühmt-berüchtigten „Wie geht's?"-Formulierungen sind nur selten wirklich angebracht. Darum also: frühzeitige Bekanntgabe des Gesprächszieles!

„Herr Jacobs, ich möchte mich mit meinem Anruf heute nach Ihrer Zufriedenheit mit Ihrem neuen Prima erkundigen."

„Frau Herrmann, wir führen am übernächsten Wochenende einen Tag der offenen Tür in unserem Hause durch. Ich rufe Sie heute an, um Sie sehr herzlich zu dieser Veranstaltung einzuladen."

„Herr Ruppert, ich weiß, daß Sie geschäftlich viel unterwegs sind. Wir haben in unser Zubehörprogramm ein Autotelefon aufgenommen, das den modernsten Entwicklungen der Telekommunikation entspricht."

„Herr Klein, Sie bekundeten in unserem letzten Gespräch Interesse an unserem neuen Calipso. Wir haben nun die ersten Modelle erhalten. Aus diesem Grund rufe ich heute an, um Sie zu einer Probefahrt einzuladen."

Mit derartigen Einstiegsformulierungen vermitteln Sie Ihrem Kunden die notwendige Sicherheit, denn er weiß gleich worum es geht. Nicht zu vergessen ist, daß Sie dadurch das Interesse des Angerufenen an diesem Telefonat wecken und ihn zur Gesprächsfortsetzung motivieren.

4.2.3.3 Konkrete Nachfrage bzw. Unterbreitung eines Vorschlags

Nach der Gesprächseröffnung und der Gesprächszielbekanntgabe sollten Sie nun den Kunden aktivieren. Je nach Gesprächsanlaß kann diese Aktivierung unterschiedlich ausfallen. Entweder Sie fragen konkret nach, z. B. bei einer Zufriedenheitsnachfrage, oder Sie unterbreiten einen Vorschlag, etwa bei einer Einladung zu einer Sonderveranstaltung Ihres Hauses. Hier folgen einige Beispiele zu unterschiedlichen Situationen.

Ablauf der Nutzungsdauer:

„Herr Höller, haben Sie bereits an die Neuanschaffung gedacht?"

„Herr Höller, wie lange werden Sie voraussichtlich Ihr Fahrzeug noch nutzen?"

Zubehörangebot:

„Herr Ruppert, soweit mir bekannt ist, besitzen Sie noch kein Autotelefon. Haben Sie schon einmal an die Anschaffung eines Gerätes gedacht? ... Ich würde Ihnen gern ein solches Mobiltelefon für einen Tag zu Verfügung stellen, damit Sie feststellen können, ob das Gerät für Sie geeignet ist. Was halten Sie von meinem Vorschlag?"

Einladung:

„Frau Weber, wir würden uns freuen, wenn wir Sie zur Vorstellung des neuen Jamaica erwarten können. Darf ich Sie in unsere Gästeliste eintragen?"

Probefahrteinladung:

„Ich lade Sie sehr herzlich zu einer Probefahrt mit unserem Tomba ein. Wann wäre es Ihnen angenehm?"

Vorstellung Verkaufsberater:

„Ich möchte mich Ihnen heute als Ihr zuständiger Verkaufsberater des Autohauses Nord vorstellen und Sie aus diesem Grund gern einmal besuchen. Wäre es Ihnen recht, wenn ich am ...?"

Die Formulierungsmöglichkeiten sind so vielfältig wie die Gesprächsanlässe.

4.2.3.4 Reaktion auf Kundenäußerungen bzw. Argumentation

Irgend etwas wird Ihr Telefonpartner schon sagen, nachdem Sie ihm einen Vorschlag unterbreitet haben. Aktives Zuhören ist jetzt angesagt, denn die Reaktionen Ihres Kunden sind wichtig für Sie, um das Gespräch individuell fortsetzen zu können.

Positive Kundenäußerungen auf den von Ihnen unterbreiteten Vorschlag sollten Sie verstärken und danach gleich zur konkreten Vereinbarung überleiten:

„Herr Breuer, es freut mich, daß mein Angebot auf Ihr Interesse stößt. Ich schlage vor, daß wir uns in den nächsten Tagen einmal zusammensetzen, um die weiteren Dinge zu besprechen."

Schön, Frau Weber, daß Sie zur Vorstellung des neuen Lambada kommen werden. Sie werden sehen, es wird ein interessanter Abend für Sie. Ich werde Sie gleich in unsere Gästeliste eintragen."

Des öfteren erfahren wir Zweifel oder Unsicherheiten aufgrund des unterbreiteten Vorschlags. In diesem Fall ist es ratsam, zunächst Verständnis für dieses Kundenverhalten zu zeigen und den Vorschlag unter Einbeziehung eines neuen Gesichtspunktes zu wiederholen.

A: *„Ich weiß nicht so recht, eigentlich habe ich noch gar nicht an eine Neuanschaffung gedacht."*

B: *„Herr Müller, dafür habe ich vollstes Verständnis. Vielleicht ist es jedoch deshalb besonders sinnvoll, wenn wir uns einmal unterhalten würden. Ich denke, daß ich Ihnen einige Anregungen geben kann, so daß Sie in Ruhe Ihre nächste Kaufentscheidung überdenken können."*

Natürlich werden uns auf unserem Weg zum Gesprächsergebnis auch härtere Einwände und Widerstände begegnen. Wir empfehlen Ihnen, hierbei nach dem in Kapitel 1.3.4 beschriebenen Muster zu verfahren. Also: Verständnis – Nachfragen – Argumentation.

A: *„Nee, lassen Sie man! Wenn ich was von Ihnen will, dann melde ich mich schon selbst bei Ihnen."*

B: *„Herr Katter, ich verstehe sehr gut Ihre Einstellung. Natürlich möchte ich Sie keineswegs mit meinem Vorschlag bedrängen. Darf ich Sie dennoch fragen, ob eine Alarmanlage grundsätzlich für Sie nicht in Frage kommt."*

A: *„Das bringt doch sowieso nichts!"*

B: *„Haben Sie schon einmal konkrete Erfahrungen hierzu gemacht?"*

A: *„Nee, aber ein Bekannter von mir, der hat mir erzählt, daß ..."*

B: *„Ich verstehe Herr Katter, wenn man solche Erfahrungen hört, dann ist man zunächst solch einem Vorschlag gegenüber negativ eingestellt. Doch bedenken Sie bitte, daß die eigenen Erfahrungen am meisten zählen. Ich würde Sie sehr gern einmal vor Ort, mit einer solchen Anlage vertraut machen."*

„Weniger ist mehr!", dieser Satz könnte als Devise für telefonische Argumentationen stehen. Am Telefon ist die Aufnahmefähigkeit des Gesprächspartners weit geringer als im persönlichen Gespräch. Deshalb ist es sinnvoll, die Argumentation auf wenige, aber zugkräftige Aussagen zu beschränken. Langatmige Produktargumentationen bringen zumeist nichts. Heben Sie sich Argumente für das persönliche Gespräch auf. Profis berücksichtigen hierbei auch die Entscheidungsfreiheit des Kunden und sprechen von Empfehlungen, Vorschlägen oder Ratschlägen. (Doch Vorsicht! Ratschläge dürfen nicht erschlagen!)

„Herr Kleber, ich kann Ihre Zweifel gut nachvollziehen. Ich schlage Ihnen vor, das Fahrzeug einmal in Ruhe auf Ihre Bedürfnisse hin zu überprüfen. Der Wagen verfügt über soviel positive Eigenschaften; Sie sollten ihn selbst einmal über eine längere Strecke gefahren sein. "

4.2.3.5 Gesprächsabschluß

Gesprächsabschluß heißt auch hier Ergebnisvereinbarung. Fassen Sie die getroffene Vereinbarung zusammen und schließen Sie das Gespräch mit einer motivierenden Formulierung und Ihrem Dank ab.

„Herr Bernhard, wie vereinbart werde ich Ihnen am nächsten Wochenende den Wagen zu einer ausführlichen Testfahrt zur Verfügung stellen. Wir treffen uns am Sonnabend um 10.00 Uhr hier im Betrieb. Sie werden sehen, daß das Fahrzeug Ihnen Freude bereiten wird. Vielen Dank für das Gespräch und auf Wiedersehen bis Sonnabend. "

Natürlich sollten Sie auch rechtzeitig den „Rückzug" antreten, wenn Sie bemerken, daß Ihr Kunde sich belästigt oder bedrängt fühlt.

„Herr Blume, ich wollte Ihnen keineswegs mit meinem Anruf auf die Nerven gehen. Ich wollte es jedoch auch nicht verpassen, Sie eingeladen zu haben. Entschuldigen Sie bitte die Störung und vielen Dank, daß Sie dennoch so geduldig mit mir waren. "

Übrigens: Danken können Sie jedem Kunden, ob nun ein konkretes Ergebnis erzielt wurde oder nicht. Danken Sie Ihm für sein Interesse, seine Aufmerksamkeit, für seine Offenheit oder für die Hinweise und Anregungen, die er Ihnen gab. So zeigen Sie sich auch bei kleinen „Niederlagen" noch als Könner.

4.2.4 „Na, läuft der Wagen noch?" – Die Besonderheit der Zufriedenheitsnachfrage nach Neuwagenauslieferung

Zufriedenheitsnachfragen sind ein hervorragendes Mittel der Kundenbindung. Bereits im Kapitel 3.4 dieses Buches haben wir dieses Thema für den Bereich des Kundendienstes ausführlich dargestellt. Analog hierzu gilt auch für die Zufriedenheitsnachfrage im Verkauf, daß sich mit diesem Gespräch kleine Unzufriedenheiten frühzeitig beseitigen lassen, sich die Möglichkeit der Kontaktchance und Kundenaufwertung ergibt und insbesondere eine vorhandene Zufriedenheit des Kunden mit dem neuen Fahrzeug festigen läßt. Dennoch weicht die Zufriedenheitsnachfrage im Verkauf in einigen Punkten von der des Kundendienstes ab.

Hauptziel ist es hier, die vom Kunden getroffene Kaufentscheidung abzusichern. Nach jedem Kauf tritt beim Käufer eine Phase der Unsicherheit auf, in der er sich mehr oder minder bewußt die Frage stellt „Habe ich mich für das richtige Fahrzeug entschieden?". In diesem Unsicherheitszustand ist der Kunde besonders anfällig für Beeinflussungen von außen. Negative oder positive Bekundungen seiner Mitmenschen über das erworbene Produkt lassen ihn in seiner Meinung schwanken oder festigen. Hinzu kommen die Fahrerfahrungen, die der Kunde in dieser Zeit sammelt. Er entdeckt vielleicht kleine Unzulänglichkeiten des Wagens, die ihm vorher noch nicht auffielen und die ihn jetzt verunsichern. Oder er stellt rundherum seine persönliche Zufriedenheit mit dem Fahrzeug fest. Ob Neu- oder Gebrauchtwagenkunde, überall ist die Absicherungsphase zu beobachten. Steht am Ende dieses Zustandes das „Ja" zum Produkt und zum Autohaus, so ist ein enormer Schritt vorwärts zur nächsten Kaufentscheidung bereits jetzt getan. Stehen jedoch Zweifel, Unsicherheiten oder gar Ablehnungen am Ende dieses Prozesses, hat der Kunde gar schon jetzt die „innere Kündigung" ausgesprochen, so sieht es schlimm aus mit der weiteren Geschäftsbeziehung. Die ist dann geprägt durch Mißtrauen, Beanstandungen und Nörgeleien, denn derjenige, der sich vermeintlich für das falsche Fahrzeug entschieden hat, versucht die Verantwortung für diese Fehlentscheidung auf die ihn während des Kaufvorganges Beratenden abzuschieben.

Um die beschriebenen negativen Folgen zu vermeiden, empfiehlt es sich für jeden Verkaufsberater, rechtzeitig den Griff zum Hörer zu wagen. Oftmals sind es kleine Bedienungsfehler, die dem Kunden während der ersten Erlebnistage unterlaufen. Hier kann durch ein vom Verkaufsberater ausgehendes Telefonat schnell Abhilfe geschaffen werden, damit die Fahrfreude ungetrübt fortgesetzt werden kann. Aber auch der rundherum zufriedene Kunde freut sich darüber, daß man auch nach dem Kauf für ihn da ist und ihn wichtig nimmt.

Empfehlenswert ist dieser Anruf innerhalb der ersten Wochen nach Neuwagenauslieferung, bevor der Kunde zur ersten Inspektion kommt. Oftmals ist dieser Zeitraum damit durch die durchschnittliche Fahrleistung des Kunden vorgegeben. Der Vielfahrer wird also eher mit unserem Anruf rechnen können, als der Wenigfahrer. Allgemein kann man sagen, daß der Anruf in einen Zeitraum zwischen einer und drei Wochen nach Auslieferung fallen sollte. Profi-Berater kennen die durchschnittliche Fahrleistung Ihres Kunden, und wissen somit den Zeitpunkt richtig zu wählen.

Wie auch bei der Werkstatt-Zufriedenheitsnachfrage ist die Ankündigung dieses Anrufs zur Vermeidung von Unsicherheiten sinnvoll. Wer bereits bei der Übergabe einen kurzen Hinweis darauf gibt, handelt vorausschauend.

„Herr Wurzer, ich werde mir erlauben, Sie in einigen Tagen anzurufen, um mich nach Ihren Fahrerfahrungen mit dem Fahrzeug zu erkundigen. Manchmal ergibt sich noch die eine oder andere Frage, die wir dann schnell und unkompliziert am Telefon klären können. Was meinen Sie, wann wäre Ihnen dieser Anruf recht?"

Gegebenenfalls kann hier nochmals das Gespräch auf die voraussichtliche Fahrleistung gebracht und ein sinnvoller Anruftermin gemeinsam abgestimmt werden.

Während des Gespräches wird analog zum dargestellten Gesprächsleitfaden das folgende Verhalten empfohlen:

Bekanntgabe des Gesprächszieles:

„Herr Wurzer, wir sprachen ja bereits bei der Neuwagenauslieferung darüber, daß ich mich nach einiger Zeit bei Ihnen nochmals telefonisch melden wollte, um mich nach Ihren Erfahrungen und Ihrer Zufriedenheit mit dem Fahrzeug zu erkundigen."

Konkrete Zufriedenheitsfrage:

„Herr Wurzer, wie waren denn nun die ersten Tage mit dem Wagen. Ich hoffe, Sie sind vollauf zufrieden mit Ihrem Fahrzeug. Bitte erzählen Sie mir doch einmal Ihre Erfahrungen."

Je nach der jetzt folgenden Kundenreaktion (Zufriedenheit oder Unzufriedenheit), muß der Verkaufsberater seine Reaktion entsprechend einstellen.

„Toll, Herr Wurzer, zu hören wie Sie von Ihrem neuen Wagen schwärmen. Ich muß Ihnen einfach nochmals zu Ihrer getroffenen Kaufentscheidung gratulieren. Das Fahrzeug ist wie für Sie maßgeschneidert."

„Es freut mich zu hören, daß Sie so zufrieden mit dem Wagen sind. Ohne daß es für Sie überheblich klingen soll, ich sage, daß ich damit gerechnet habe. Haben Sie vielleicht noch Fragen zum Wagen, Herr Wurzer, die ich Ihnen jetzt beantworten kann?"

„Herr Wurzer, ich bedaure es sehr, daß Ihre Freude durch diesen Fehler am Fahrzeug ein wenig getrübt wurde. Ich schlage vor, daß wir jetzt gleich einen Werkstattermin vereinbaren und wir uns dann sofort um die Behebung des Mangels kümmern. Sie werden sehen, daß bald wieder alles zum Besten sein wird."

Gern verbinden manche Verkaufsberater die Zufriedenheitsnachfrage mit der Frage nach möglichen Referenzadressen. Dieses sollte sehr dezent erfolgen, etwa dann, wenn der Kunde von sich aus über Reaktionen von Bekannten, Kollegen oder Freunden berichtet.

„Herr Wurzer, Sie sprachen gerade von Ihrem Arbeitskollegen, dem Sie den Wagen gezeigt haben und der auch so begeistert davon war. Was meinen Sie, sollte ich Ihren Kollegen einmal anrufen und Ihn zu einer Probefahrt einladen?"

Gegebenenfalls können solche Berichte auch „herausgelockt" werden:

„Herr Wurzer, was haben denn Ihre Freunde und Bekannten zu Ihrem neuen Wagen gesagt? Als Neuwagenbesitzer stellt man doch sein Schmuckstück ganz gerne vor. Wie war die Reaktion? Das würde mich interessieren."

Bedenken Sie jedoch bei diesem Vorgehen immer, daß es sehr diplomatisch erfolgen muß. Beim Kunden darf keinesfalls der Eindruck entstehen, als stünde diese Frage für Sie im Vordergrund.

Zum Abschluß des Telefonates können – je nach Gesprächsanlaß – Vereinbarungen getroffen werden:

„Herr Wurzer, Sie sagten mir gerade, daß Sie bereits achthundert Kilometer mit dem Wagen gefahren seien. Wie wäre es, wenn wir jetzt gleich den Werkstattermin für die erste Inspektion vereinbarten? Das würde Ihnen ein weiteres Telefonat ersparen!"

Vor der Verabschiedung gilt es dem Kunden noch einen positiven Blick in die Zukunft zu gönnen oder die Servicebereitschaft zu dokumentieren.

„Ich wünsche Ihnen weiterhin eine gute Fahrt und viel Freude mit Ihrem Wagen. Wenn Sie irgendwelche Fragen haben, rufen Sie mich ohne Zögern an. Sie wissen, wir sind für Sie da."

4.2.5 „Was, Sie leben noch?" – Die Aktivierung von Karteileichen

Auch bei engen Freundschaften passiert es schon einmal, daß man lange nichts voneinander hört. Und so kann es trotz systematisch herbeigeführten Kundenkontakten auch passieren, daß uns ein Kunde durch die „Lappen geht". Am ehesten werden solche ausbleibenden Kontakte im Kundendienst bemerkt. Kunden, die viele Monate nicht mehr in der Werkstatt waren, sind zumeist untrügliche Zeichen dafür, daß irgendetwas nicht stimmt. Außerdem sind es „Vorboten" für einen sich auch im Verkauf ankündigenden oder zumindest wahrscheinlich werdenden Wechsel zum Wettbewerb. Verkaufsprofis beugen vor! Enge Zusammenarbeit zwischen Verkauf und Kundendienst ist notwendig, um Kundenabwanderungen frühzeitig zu entdecken. Aus diesem Grund ist es für jeden Verkaufsberater empfehlenswert, gemeinsam mit dem Kundendienstberater monatlich eine Durchsicht der Fahrzeugakten vorzunehmen und nach „Karteileichen" zu suchen. Größere Betriebe haben die Möglichkeit, ein Berichtsystem zu schaffen, in welchem vom Kundendienst solche ausbleibenden Kontakte frühzeitig zum Verkauf gemeldet werden.

Diese so ermittelten Kunden sollten auf telefonischem Wege rechtzeitig angesprochen werden. Die Ziele dieser Telefonkontakte liegen auf der Hand: es soll der Abwanderung vorgebeugt und falls es schon zu spät ist, der Kunde langfristig zurückgewonnen werden. Dazu müssen die Gründe für die Inaktivität des Kunden herausgefunden und die eventuell vorhandenen Hinderungsgründe beseitigt werden, um den Weg wieder frei zu machen für eine weiterführende Geschäftsbeziehung.

Keinesfalls darf jedoch für den Angerufenen der Eindruck entstehen, daß er für sein Verhalten getadelt wird, daß wir ihn anklagen und ihm Vorwürfe machen. Je freundlicher und offener Sie also vorgehen, desto weniger wird dieser Eindruck entstehen können. Besondere Aufmerksamkeit sollten Sie der Vorbereitung dieses Gespräches widmen! Klären Sie vorher die Frage, was Ihren Kunden zu seinem Verhalten veranlaßt haben könnte. Gab es bestimmte Ereignisse in der Werkstatt, zum Beispiel Reklamationen, die nicht zu seiner Zufriedenheit ausgeführt wurden? Wodurch konnte der Kunde verärgert worden sein? Haben Sie ihm hinreichende Informationen über die Inspektionsintervalle gegeben oder haben Sie den Kunden in irgendeiner Form vernachlässigt? „Prüfe Dich selbst!", so muß zunächst Ihre Devise lauten.

Sollte Sie auf diesem Wege zu konkreten Anlässen kommen, dann müssen Sie diese unbedingt in Ihrem Gesprächsverhalten mit einbeziehen. Der Gesprächseinstieg könnte lauten:

„Herr Müller, bei der Durchsicht unserer Fahrzeugkartei stellten wir fest, daß der Regelservice an Ihrem Fahrzeug fällig sein müßte. Ich möchte Sie heute daran erinnern und Ihnen einen Werkstattermin vorschlagen."

„Herr Clausen, wir konnten an Hand Ihrer Fahrzeugakte feststellen, daß Sie seit einiger Zeit nicht in der Werkstatt waren. Herr Clausen, gibt es Gründe für eine Unzufriedenheit?"

„Unser Kundendienstberater, der Herr Bremer, fragte mich heute, ob es Gründe für eine Verärgerung bei Ihnen gäbe, ihm sei aufgefallen, daß er Sie seit einiger Zeit nicht mehr in der Werkstatt begrüßen konnte. "

Wenn Sie eine Ahnung oder auch konkrete Hinweise für die Gründe des Fernbleibens haben, so empfiehlt es sich, diese offen anzusprechen und keinesfalls um „den heißen Brei" herumzureden.

„Frau Waldau, Sie hatten vor einigen Monaten eine Beanstandung an Ihrem Fahrzeug. Nun ist uns aufgefallen, daß Sie seit diesem Zeitpunkt nicht mehr unsere Werkstatt aufgesucht haben. Ich wollte Sie fragen, ob dies mit der damaligen Beanstandung in irgendeinem Zusammenhang steht? "

Natürlich wäre es im Falle einer Beanstandung gleich sinnvoller gewesen, wenn man einige Tage nach dem Werkstattbesuch bereits eine Zufriedenheitsnachfrage durchgeführt hätte.

Wenn Ihr Kunde nicht so richtig mit der Sprache herausrückt, sollten Sie sich nicht mit kurzen Antworten begnügen. Haken Sie ruhig freundlich noch einmal nach:

„Herr Schleicher, ich habe den Eindruck, als wenn da noch mehr zwischen uns stünde. Sagen Sie mir doch bitte offen, was Sie dazu gebracht hat. Schauen Sie, nur wenn wir die ungeschminkten Kundenerfahrungen hören, können wir uns verbessern. "

In allen beschriebenen Fällen müssen wir auch mit unangenehmen Reaktionen rechnen. Da wird die Leidensgeschichte vom Gesprächspartner nochmals wiederholt oder Anklagen und Vorwürfe werden erhoben. Hier ist es dann angeraten, nach den Regeln eines Reklamationsgespräches zu verfahren und das heißt: Aufmerksames Zuhören, Verständnis ausdrücken und Vorschläge zur Problembeseitigung unterbreiten.

„Frau Faber, ich kann das gut nachvollziehen, wenn Sie nach einem solchen Ereignis, den Kontakt zu uns zunächst abbrechen. Ich hätte vielleicht auch so gehandelt. Geben Sie uns doch bitte eine Chance, um den Fehler von damals wieder wettzumachen. Was halten Sie davon, wenn ... "

Natürlich können auch völlig alltägliche und undramatische Ereignisse den Kunden zum Fernbleiben veranlaßt haben: Vergeßlichkeit, ein Ortswechsel oder vielleicht hat er aufgrund einer sehr geringen Fahrleistung noch keinen Anlaß zum Werkstattbesuch. In diesen Fällen können Sie solche Informationen nutzen, um Ihrem Kunden einen Vorschlag zu unterbreiten und diesen mit einer entsprechenden Argumentation zu untermauern.

172

„Es freut mich zu hören, Frau Klein, daß alles in Ordnung ist. Ich möchte Ihnen bei dieser Gelegenheit empfehlen, in den nächsten Tagen die Jahresinspektion an Ihrem Wagen durchführen zu lassen. Trotz geringer Fahrleistung rät der Hersteller, mindestens einmal pro Jahr eine solche Inspektion auszuführen. Sie erhalten nicht nur die Zuverlässigkeit Ihres Fahrzeuges, sondern sichern sich auch für den ‚Fall der Fälle‘ Ihren Garantieanspruch."

Bitter ist es, wenn der angesprochene Kunde bereits einen Fahrzeugwechsel vorgenommen hat. Dies erfordert besonderes Gesprächsführungsgeschick und die Fähigkeit in langen Zeiträumen zu denken. Wer sich hier beleidigt zurückzieht, verschenkt seine eigenen Zukunftschancen.

„Natürlich bedauere ich es sehr, daß Sie zwischenzeitlich ein Fahrzeug unseres Wettbewerbs erworben haben. Darf ich fragen, wie zufrieden Sie mit dem Wagen sind? Es wäre interessant für mich zu hören, wie Sie persönlich die beiden Fahrzeuge miteinander vergleichen."

Sicher ist in solchen Fällen momentan wenig zu machen. Aber dennoch sollten Sie den Kontakt suchen und aufrecht erhalten, denn irgendwann in durchaus absehbarer Zeit kommt auch wieder einmal Ihre Stunde.

4.2.6   „Herr Mustermann telefoniert!" – Überarbeitetes Gesprächsbeispiel

Gehen wir nochmals zum Eingangsbeispiel zurück. Dort wurde Dr. Schubert von einem redseligen Verkäufer viel zu spät angerufen. Hätte er sich bereits nach der Neuwagenauslieferung gemeldet und die Gesprächsregeln beachtet, wäre das Telefonat vielleicht so abgelaufen:

A: *„Schubert."*

B: *„Guten Tag Herr Doktor Schubert. Hier spricht Schleicher, Peter Schleicher vom Autohaus Ring."*

A: *„Ach, Herr Schleicher, was kann ich für Sie tun?"*

B: *„Nun, Herr Doktor Schubert, ich möchte mich mit meinem Anruf heute nach Ihrer Zufriedenheit mit Ihrem neuen Dora erkundigen."*

A: *„Ah, ja."*

B: *„Sie hatten ja das Fahrzeug vor zehn Tagen übernommen und haben in der Zwischenzeit einige Fahrerfahrungen sammeln können. Und wie damals vereinbart, wollte ich mich nach einiger Zeit nochmals bei Ihnen telefonisch erkundigen. Herr Doktor Schubert, wie zufrieden sind Sie mit dem Wagen?"*

A: *(etwas stockend) „Danke der Nachfrage. An sich ist alles okay und der Wagen fährt wie ich es erwartet hatte. "*

B: *„Das freut mich zu hören. Doch ich habe den Eindruck, als seien Sie sich nicht hundertprozentig sicher, oder täusche ich mich? "*

A: *„Ja, wissen Sie, eine kleine Sache hat mir etwas Kopfzerbrechen gemacht. Manchmal leuchtet die Handbremskontrolleuchte ohne ersichtlichen Grund auf. So während der Fahrt, ohne daß ich natürlich die Handbremse angezogen habe. Was kann denn das sein? "*

B: *„So spontan kann ich Ihnen diese Frage leider nicht beantworten. Ich kann mir jedoch vorstellen, daß es sich dabei vielleicht um einen kleinen Wackelkontakt handelt. Das ist natürlich nicht sehr schön für Sie. Wäre es möglich, daß Sie ganz kurzfristig bei uns vorbeischauen, damit unser Kundendienstberater sich die Sache genau ansehen und den Fehler beseitigen kann? "*

A: *„Ja, das ginge. Heute noch? "*

B: *„Wenn es Ihnen paßt, dann gerne. So können Sie Gewißheit haben, daß es sich um keine besorgniserregende Sache handelt und wir können Ihnen Ihren hundertprozentigen Fahrspaß zurückgeben. Paßt es Ihnen heute nachmittag, gegen sechzehn Uhr? "*

A: *„Das geht. "*

B: *„Schön, Herr Doktor Schubert. Dann sehen wir uns heute um sechzehn Uhr hier im Betrieb und während der Kundendienstberater das Problem beseitigt, trinken wir eine Tasse Kaffee gemeinsam und unterhalten uns über Ihren neuen Dora. Einverstanden? "*

A: *„Einverstanden. Ach übrigens, ich hab' ja noch kein Radio im Fahrzeug, wollte mir damit etwas Zeit lassen. Vielleicht können Sie mir nachher gleich mal was zeigen. "*

B: *„Das will ich gerne tun und Ihnen dann ein paar Möglichkeiten zeigen. Ich freue mich auf Ihren Besuch, Herr Doktor Schubert. "*

A: *„Ja, auf Wiederhören. "*

B: *„Auf Wiederhören. "*

Verkaufs- und Telefonprofis in den Autohäusern wissen um die Wirkung von Kundenkontakttelefonaten. „Der Anruf beim Kunden zur rechten Zeit, macht immer Freund und Freundlichkeit!" Aber vergessen Sie nicht: „Wer nicht kommt zur rechten Zeit, der muß sehen was übrig bleibt."

4.3 „Mit dem Telefon zu neuen Ufern!" – Kundengewinnung via Telefon

Verkaufsberater werden nicht für das Warten bezahlt! Abschlüsse sind es, die das Einkommen sichern und den Ertrag des Unternehmens bestimmen. Und hierzu ist Kundenneugewinnung notwendig: Akquisition heißt ein Ziel des cleveren Automobilverkäufers der 90er Jahre. Wer das Telefon sich hier zum „Untertan" macht, der handelt vorausschauend und gelangt zu „neuen Ufern". Beobachten wir einen Kollegen einmal bei seiner „Fahrt":

A: *„Schneider."*

B: *„Guten Tag, Herr Schneider, meine Name ist Kerstens, Bernd Kerstens, vom Autohaus Boll. Sie kennen sicher noch nicht den neuen Alaska, ein Auto der Spitzenklasse. Ich sage nur: Zweikommazwei-Liter-Vierzylinder mit einhundertundsieben PeEs. Einzelradaufhängung, Fünftürer, Katalysator und was sonst noch alles das Herz begehrt. Natürlich auch als Sechszylinder zu haben. Und das Ganze zu einem Preis, von dem Sie sonst nur träumen: Zweiunddreißigtausendfünfhundert. Na, da halten Sie die Luft an, was? Ich sage Ihnen, Ihre Frau wird begeistert sein. Wie wäre es denn mit einer kleinen Probefahrt?"*

A: *„Sehr freundlich von Ihnen, Herr Kerstens, aber ich habe ein Auto und mit dem bin ich sehr zufrieden."*

B: *„Herr Schneider, Sie wollen doch nicht etwa die Chance Ihres Lebens an Ihnen vorüberziehen lassen. Es gibt keine Alternative zum Alaska auf dem Markt. Sagen Sie ja und Sie werden es nicht bereuen."*

A: *„Wie ich Ihnen bereits sagte, fahre ich ein Auto und bin mit dem sehr zufrieden. Außerdem, wieso rufen Sie mich eigentlich an? Ich bin doch gar nicht Kunde in Ihrem Haus."*

B: *„Genau das ist es doch, Herr Schneider. Unsere Kunden brauch' ich nicht mehr anzurufen, die sind alle bestens bedient. Nein, meine volle Aufmerksamkeit gilt unseren Noch-Nicht-Kunden und zu denen gehören Sie nun einmal. Sie sollten sich der Zukunft nicht verschließen!"*

A: *„Das tue ich keinesfalls. Aber Ihre Fahrzeuge gehören der Vergangenheit an: technisch überaltert, zu teuer und zu unwirtschaftlich. Und nun lassen Sie micht etwas für meine Zukunft tun und das Gespräch beenden. Meine Kunden warten auf mich."*

B: *„Herr Schneider, Herr Schneider! Sie verpassen Ihre besten Chancen im Leben ..."*

175

A: „Vielen Dank, aber wenn ich noch länger mit Ihnen rede, dann verpasse ich meinen Termin. Auf Wiederhören Sie Glücksritter."

B: „Na, dann eben nicht. Auf Wiederhören."

Herr Kerstens ist leider nicht zu neuen Ufern gelangt, sondern auf eine Sandbank gelaufen. Aktivitäten sind gut, um Interessenten zu gewinnen, doch dieser Weg scheint nicht der richtige zu sein. Lag es am Angerufenen, der sich den „tollen" Argumenten des Automobilverkäufers verschloß oder lag es am Akquisiteur, der mit „voller Kraft voraus" auf Grund fuhr? Telefonakquisition ist ein harter Job, der viel Ausdauer, Selbstüberwindung und eine gehörige Portion Wissen verlangt. Wissen über das Vorgehen, die Vorbereitung, die Zielgruppenauswahl und die Zielgruppenansprache. Der spontane Griff zum Hörer führt hier nur höchst selten zum Erfolg.

4.3.1   „Verkaufen beginnt mit der Interessentengewinnung!" – Die Zielsetzung und Vorgehensweise einer Akquisitionsaktion

„Ich bin doch kein Versicherungsheini, der Klinken putzt, auch nicht per Telefon!", nicht selten findet sich unter Verkaufsberatern diese Meinung über die Akquisition. Häufig steckt die Angst vor dem Unbekannten dahinter. Man sträubt sich aus Unkenntnis oder aus schlechten, selbst verursachten negativen Erfahrungen. Sicher, Akquisition ist kein „Zuckerschlecken", doch wer nach der Devise „Tag Herr Schulze, mein Name sagt Ihnen sicher nichts, aber trotzdem, haben Sie Interesse an einer Probefahrt mit den neuen Alaska? ... Nein ... Na, das hab' ich mir schon fast gedacht. Nichts für ungut und 'nen schönen Tag noch" handelt, erntet nur Mißerfolg! Zehn solcher unvorbereiteten Telefonate und Sie fassen keinen Telefonhörer mehr an.

Wer aktive Kundenneugewinnung betreiben will, muß sich zunächst darüber im klaren sein, daß er hier auf eine eigentlich untypische Verkaufssituation trifft. Beim klassischen Verkaufsgespräch geht die Aktivität vom Interessenten aus. Er ruft an oder kommt ins Haus und übernimmt damit die Kontaktinitiative. Der Verkaufsberater wird zum Reagierenden, zum Helfer eines Fragenden. Das schafft Heimvorteile, befreit von der Angst einen „Korb" zu bekommen. Anders bei der Akquisition: hier verkehren sich die Rollen. Der bisher immer nur Reagierende wird zum Akteur, er ist es, der die Kontaktinitiative übernimmt und mehr oder minder „auf blauen Dunst" hin sich und sein Produkt anbietet. Die Ansprache eines „wildfremden" Menschen ist eine der schwierigsten menschlichen Kommunikationssituationen. Das schafft Unsicherheiten! Wer garantiert, daß die Botschaft auf den richtigen Boden trifft? Wer nimmt die Angst, die mit einer offenen oder versteckten Ablehnung verbunden ist? Wer sagt ihm, daß gerade dieser Angesprochene einmal zum Kunden wird? – Fragen über Fragen, vor denen die meisten Verkaufsberater zurückschrecken und lieber gleich nur auf heimischen Boden spielen. Doch das ist falsch! Wer Akquisitionserfolge verzeichnen will, muß zunächst an seiner Einstellung arbeiten, der darf sich nicht als „Klinkenputzer" sehen, sondern sollte realistisch die Erwartungshaltung eines per Akquisition Angesprochenen erkunden und daraus sein Verhalten ableiten.

Das Akquisitionstelefonat ist nur ein Teil, ein Baustein innerhalb einer Akquisitionsaktion. Im Überblick ergibt sich zunächst folgender Aufbau:

1. Baustein: Angebotsermittlung.
2. Baustein: Zielgruppenauswahl.
3. Baustein: Kontaktvorbereitung.
4. Baustein: Kontaktaufnahme.

4.3.1.1   Die Angebotsermittlung

Automobile sind Massenprodukte, nicht nach den individuelle Wünschen eines Kunden angefertigte „Vehikel". Sie werden vom Hersteller konzipiert, konstruiert und produziert. Dem Händler bleibt die Distributorenfunktion: er wird mit dem fertigen Produkt konfrontiert und hat den Wagen zu verkaufen. Das klingt hart, doch der Hersteller begleitet seine Vertragshändler auf diesem Weg mit unzähligen Marketingmaßnahmen. Dem Autohaus und seinen Mitarbeitern verbleibt damit die Vermarktung vor Ort. Aus dieser Kette ergibt sich zumeist von selbst die Antwort auf die Frage „Für welches Modell muß verstärkt akquiriert werden?" Akquisition ist insbesondere dann angesagt, wenn ein neues Modell auf ein bisher noch nicht vom Hersteller abgedecktes Marktsegment trifft und somit neue Kundengruppen erschlossen werden müssen. Natürlich können auch Modelle aus der Fahrzeugpalette ausgesucht werden, deren Absatz stockt oder bei denen noch nicht alle Absatzpotentiale ausgeschöpft wurden. Die Aufgabe der Verkaufsleitung und des Verkaufsberaters ist es, diese Angebotsentscheidung zu treffen. Sie ist der Ausgangspunkt für alle weiteren Aktivitäten.

4.3.1.2   Die Zielgruppenauswahl

„Sie haben den Schuh und suchen den dazu passenden Fuß!", so ist die Frage der Zielgruppenauswahl einfach zu umschreiben. Ausgehend vom ausgewählten

Akquisitionsmodell muß die entsprechende Zielgruppe gesucht werden. Womit wir bei der Sache mit den Eskimos und den Kühlschränken wären: Wem würde das Fahrzeug den größten Nutzen bringen? Die Automobilhersteller und -importeure bieten Ihren Händlern hierzu in der Regel eine Fülle von Informationen. Darüber hinaus können Sie selbst durch eigene Überlegungen dazu beitragen, dies zu beantworten. Fragen Sie sich, welche besonderen Merkmale Ihr Angebot hat und welchen Nutzen Sie damit bieten können. Fragen Sie sich weiter, wer diesen Nutzen gern hätte und sie landen zwangsläufig bei Ihrer Zielgruppe. Beschreiben Sie Ihre Zielgruppe möglichst genau und überlegen Sie sich dabei auch, wie Sie an deren Adressen gelangen. Die Zielgruppenbeschreibung: „60- bis 70jähriger katholischer Witwer mit Eigenheim" mag demoskopisch relativ genau sein, doch wie wollen Sie diese Gruppe erreichen? Wenn Ihre Zielgruppe jedoch lautet „kleine Handwerksbetriebe" oder „freiberufliche Architekten", so werden Sie beim Auffinden Ihrer zukünftigen Kunden keine Schwierigkeiten bekommen.

4.3.1.3 Die Kontaktvorbereitung

Überlegen Sie, wie Sie an die Adressen und Telefonnummern Ihrer ausgewählten Zielgruppe gelangen! Neben den klassischen Wegen, Adreßverlag und Telefonbuch, sind Ihrer Kreativität keine Grenzen gesetzt. Besonders elegant ist es, wenn Sie beispielsweise Adreßmaterial aus Rücksendungen von Preisausschreiben oder sonstigen Aktionen haben, in denen der Kontaktpartner bereits sein Einverständnis zur telefonischen Kontaktaufnahme gab. Somit umgehen Sie die später noch darzustellenden rechtlichen Schwierigkeiten. Aber nicht nur die Adressenbeschaffung ist in dieser Phase wichtig. Auch die Frage, ob vorbereitende Maßnahmen (z. B. ein Brief) ergriffen werden sollen, spielt hier, neben der Erarbeitung von Präsentations- und Argumentationsrichtlinien und der Analyse möglicher Einwände, eine weitere große Rolle. Je besser Sie den Kontakt und seinen Verlauf vorbereitet haben, desto geringer ist die Mißerfolgswahrscheinlichkeit.

4.3.1.4 Die Kontaktaufnahme

Akquisition ist auf drei Wegen möglich: per Brief, via Telefon oder über den Besuch. Jeder dieser Wege kann zwar theoretisch für sich allein gewählt werden, wird jedoch unterschiedliche Aussichten auf Erfolg haben. Wir wollen hier einem Akquisitionskonzept den Vorzug geben, in dem die drei Schritte jeweils Teile eines Gesamtweges sind.

Der Akquisitionsbrief sollte den ersten Schritt der Kontaktaufnahme darstellen. Keineswegs können mit diesem Brief unsere Produkte verkauft werden. Der

Brief soll aufmerksam machen, einen ersten positiven Eindruck hinterlassen und das Telefonat ankündigen. Er ist das Bindeglied zwischen dem Kunden und Ihnen.

Auch im Telefongespräch können Sie kein Fahrzeug verkaufen. Es hat vielmehr zum Ziel, den erreichten positiven Eindruck beim Partner zu festigen und einen persönlichen „Kennenlerntermin" zu erreichen.

Auch das persönliche Akquisitionsgespräch wird nur selten gleich Abschlußerfolge bringen. Vielmehr geht es hier darum, den Boden für eben diesen Abschluß vorzubereiten. Und daß heißt: Produktpräsentation, eigene Vorstellung, Bedarfsanalyse, Argumentation und Verkaufsvorbereitung.

4.3.1.5 Der Akquisitionsbrief

Der Brief verfolgt die Absicht, den nächsten Kontaktschritt vorzubereiten. Er muß mehr sein als ein standardisierter Werbebrief mit Prospektübersendung und Antwortkarte. Denn der klassische Werbebrief hat die Aktivität des Angeschriebenen zum Ziel: Er soll sich melden, anrufen oder eine Antwortkarte schicken. Anders beim Akquisitionsbrief: Dieser soll die Kontaktaufnahme des Verkaufsberaters ankündigen und die notwendige Bereitschaft dazu bei der „Zielperson" hervorrufen. Je individueller dieser Brief gehalten ist, desto eher wird sich der Angeschriebene auch angesprochen fühlen. Der Empfänger muß den Eindruck gewinnen, daß nur er – als einziger – Ihre Botschaft erhält. Darum sollten Sie alles tun, um diesen Eindruck zu erzeugen. Angefangen von der persönlichen Anrede, bis hin zur Briefmarke, muß das Besondere erkennbar sein. Aus diesem Grund verzichten wir auch hier auf Textbeispiele und fordern Sie als Leser auf, einmal einen solchen Brief zu texten und im Kollegenkreis zu diskutieren. Ihre Phantasie und Kreativität wird Ihnen bei der Gestaltung ein großer Helfer sein.

Verzichten Sie guten Gewissens auf die Beilage von Prospekten oder anderem Werbematerial, denn alles was an einen Werbebrief erinnert, bringt Sie ein Stück vom Ziel weg. Sie persönlich und später Ihr Produkt sollen wirken, belassen Sie es deshalb bei einem persönlichen Schreiben.

4.3.1.6 Die rechtliche Seite der Telefonakquisition

Nun, der Staatsanwalt ist nicht gleich mit von der Partie, wenn Sie zum Hörer greifen, um einen Ihnen unbekannten Gesprächspartner zu einer Probefahrt einzuladen. Dennoch spielt die rechtliche Seite bei der Telefonakquisition eine wichtige Rolle. Unter Umständen kann nämlich Ihr Anruf gegen den Paragraph 1 des UWG (Gesetz gegen den unlauteren Wettbewerb) verstoßen. Die bundesdeutschen Gerichte, bis hin zum Bundesgerichtshof, haben hierzu in den letzten Jahren eine Reihe von Urteilen gesprochen, nach denen die „Telefonwerbung" unter Umständen ein Verstoß gegen das UWG darstellt. In den verschiedenen Urteilen wird jeweils zwischen Privatpersonen und dem geschäftlichen Bereich als „Telefonziele" unterschieden. Grundsätzlich kann man heute sagen, daß die Ansprache von Privatpersonen nur dann zulässig ist, wenn diese vorher ausdrücklich oder stillschweigend Ihre Zustimmung zu einem Anruf aus Werbezwecken erklärt haben. Auch eine vorhergehende schriftliche Ankündigung schützt also nicht. Damit sind Ihnen in der Zielgruppe der Privatpersonen die „Akquisitionshände" weitgehend gebunden und ein Anruf ohne die entsprechende Zustimmungserklärung (z. B. durch die Rücksendung einer Antwortkarte mit entsprechendem Zustimmungsvermerk oder der Angabe der Telefonnummer) keinesfalls ratsam. Im geschäftlichen Bereich liegt die Sache etwas anders. Hier heißt es, daß der Anruf im ureigensten Interesse des Angesprochenen liegen muß. Wann dies der Fall ist, ist nicht ganz eindeutig und es würde den Rahmen dieses Buches sprengen und die Kompetenz des Autors überschreiten, dies an dieser Stelle ausführlich darzustellen. Das Autohaus ist gut beraten, wenn es vor einer Zielgruppenansprache juristischen Rat beim Anwalt einholt, um nicht in die „Rechtsfalle" zu tappen.

4.3.1.7 Der richtige Zeitpunkt des Anrufs

Wählen Sie für Ihren Anruf zunächst einen günstigen Zeitpunkt. Wenn Sie etwa zwei bis drei Tage nach Ankunft des Briefes telefonisch nachfassen, dann liegen Sie richtig. Nicht später, denn sonst ist Ihr Schreiben schon längst in der „Ablage P" verschwunden. Darüber hinaus sollten Sie die beste Anrufzeit Ihrer Zielperson erkunden. Oft kommen Sie schon durch einfache Überlegungen dahinter. Der Handwerker wird sicher besser in den Nachmittagsstunden, der Arzt zum Ende der Sprechstunde und der Steuerberater zwischen den klassischen Steuerterminen (Erster und Fünfzehnter eines Monats) erreichbar sein. Greifen Sie dabei auf Ihre bisherigen Erfahrungen mit anderen Personen der Zielgruppe zurück!

4.3.2 „Vorsicht Falle!" – Fehler der Telefonakquisition

Drei Hauptfehler sind es, die Akquisitionstelefonate erfahrungsgemäß zum Scheitern bringen:

1. Fehler: Die Telefonpartner werden „totgeredet".
2. Fehler: Die Gespräche dauern zu lange.
3. Fehler: Kein eleganter Ausstieg bei Widerständen des Angerufenen.

4.3.2.1 Die Telefonpartner werden „totgeredet"

Manch „alter Hase" meint, daß die Kunst des Verkaufens im Vielreden bestehe. Wer dieses schon für den persönlichen Verkauf ungültige „Rezept" auf das Telefonat überträgt, liegt schief. Akquisitionstelefonate sind keine Verkaufsgespräche im klassischen Sinn. Bestenfalls geht es darum, einen Termin „zu verkaufen". Dabei hilft weder die Litanei der produktbezogenen Argumente, noch das rhetorische „in die Enge treiben". Offenheit und die persönliche Glaubwürdigkeit sind dagegen gute Partner des Telefonates.

4.3.2.2 Die Gespräche dauern zu lange

Das mag Sie zunächst verwundern, denn die Länge eines Gespräches kann auch ein Zeichen von Interesse sein. Es kann, doch es muß nicht. Viel größer ist die Gefahr, daß in einem langen Gespräch auch viele Fragen angesprochen werden: Produkteigenschaften, Preis, Lieferzeiten, Rabatt, Gebrauchtwagenhereinnahme etc. Je mehr dieser Fragen bereits im Erstkontakt auftauchen, desto größer ist die Gefahr, daß Türen verschlossen und nicht mehr geöffnet werden. All die erwähnten Themen können weitaus besser in einem persönlichen Gespräch behandelt werden. Dort gehören Sie auch hin, nicht in den telefonischen Erstkontakt. Schützen Sie sich also davor, indem Sie sich die „Drei-Minuten-Regel" aneignen. Eine Gesprächsdauer von drei Minuten sollte Ihr Limit sein, wenn Sie es bis dahin nicht geschafft haben, einen persönlichen Termin zu erreichen, sinkt Ihre Erfolgswahrscheinlichkeit mit jeder weiteren Sekunde. Setzen Sie sich diese Zeitgrenze und Sie steuern somit gradlinig auf Ihr Gesprächsziel zu.

4.3.2.3 Kein eleganter Ausstieg bei Widerständen des Angerufenen

„Hardselling", frei übersetzt mit „Hochdruckverkauf", lohnt sich auch hier nicht. Viel zu groß werden die Widerstände, wenn der Angesprochene in die Zange genommen wird. Jedes Ihrer Gespräche ist auch Teil einer Werbebotschaft; wer hierbei die Wünsche und Bedürfnisse seines Telefonpartners ignoriert, betreibt Imageverschlechterung. Sicher werden die meisten Ihrer Akquisitionspartner nicht mit Ablehnung auf Ihren Anruf reagieren und wenn, dann sollten Sie rechtzeitig die „Gesprächskurve kratzen". Steigen Sie elegant aus dem Gespräch aus, entschuldigen Sie sich für die Störung und danken Sie dennoch für die Aufmerksamkeit des anderen. So erreichen Sie insgesamt mehr, als mit der „Brechstangenmethode".

4.3.3   „Gute Fahrt!" – Der Gesprächsleitfaden eines Akquisitionstelefonates

Erfolge sind auch in der Telefonakquisition keine Glückssache! Sie sind vielmehr das Ergebnis intensiver Vorbereitung und systematischer Arbeit. Besondere

Bedeutung kommt hierbei dem gut durchdachten Gesprächsleitfaden zu, denn er ist der Fahrplan Ihres erfolgreichen Gespräches. Am Telefon ist es möglich, mit einem solchen „skript" zu arbeiten. Es sollte Ihr Erfolgsbegleiter in der Telefonakquisition sein, um ein sicheres Gespräch mit geschliffenen Argumenten führen zu können. Ihr Leitfaden sollte neben dem Einstieg die wichtigsten Argumente und Antworten auf mögliche Einwände enthalten. Verfassen Sie ihn in wörtlicher Rede, so daß Sie direkt „vom Blatt" sprechen können. Was spricht schon dagegen, wenn Sie sich vor einer solchen Aktion hinsetzen und überlegen, wie Sie Ihre Gesprächspartner zu einem Termin bringen? Sicher müssen Sie zunächst zur Erstellung eines solchen Leitfadens Zeit investieren, doch bedenken Sie, daß es sich nicht um die Vorbereitung nur eines Gespräches handelt, sondern die einer ganzen Aktion, in der Sie sicher mehr als ein Gespräch führen werden. Sie mögen einwenden, daß Sie nicht alle möglichen Fälle vorbereiten können, da bei jedem Gesprächspartner andere Faktoren wirken. Zugegeben, alle nicht, aber 90 Prozent, denn die meisten Fragen und Einwände der „Zielpersonen" einer Telefonakquisitionsaktion sind „Wiederholungstäter" und tauchen immer wieder auf.

Der Tip: Überarbeiten Sie Ihr Telefonskript immer wieder nach Ihren persönlichen Telefonerfahrungen, denn so profitieren Sie am meisten aus den Praxisgesprächen.

Gesprächsleitfaden Akquisitionstelefonat

1. Schritt: Gesprächseröffnung.

2. Schritt: Vorzimmerbarriere.

3. Schritt: Gesprächsaufhänger.

4. Schritt: Angebot.

5. Schritt: Einwandbehandlung.

6. Schritt: Vereinbarung und Verabschiedung.

4.3.3.1 Die Eröffnung des Gespräches

Die Gesprächseröffnung entscheidet über den ersten Eindruck! Keine Neuigkeit für Sie als Leser dieses Buches. Doch bei der Akquisition sprechen wir von uns aus gänzlich Unbekannte an. Wer dort nicht gleich zu Beginn die Sympathie auf seiner Seite hat, der kann schnell wieder einpacken. Denken Sie bitte also hier insbesondere daran, die für ausgehende Gespräche (bei unbekannten Gesprächspartnern) vorgeschlagene Meldung mit den bekannten Bausteinen zu verwenden.

„Guten Tag, Herr Wissinger, mein Name ist Mertens, Klaus Mertens vom Autohaus Kolb."

Ab und zu wird in einschlägigen Büchern oder Seminaren empfohlen, den Firmennamen beim Einstieg zum Akquisitionsgespräch nicht zu nennen, um mögliche Widerstände zu vermeiden. Meines Erachtens ist dieses Vorgehen wertlos, denn Telefonpartner, die bereits durch die Kenntnis der Quelle Widerstände entwickeln würden, werden mit hoher Wahrscheinlichkeit auch ohne Firmennennung im Verlauf des Gespräches an anderen Stellen diese Widerstände hervorbringen. Oft ist der „Schock" sogar noch härter, wenn sich der Angesprochene auf ein Gespräch einläßt und zum späteren Zeitpunkt die „Wahrheit" erfährt. Widerstandsgefühle werden so viel leichter hervorgebracht.

Zur Erinnerung: „Identitätsprüfung" des Gesprächspartners und gegebenenfalls die Feststellung der Gesprächsbereitschaft sind auch in diesem Telefonat empfehlenswert.

4.3.3.2 Die Vorzimmerbarriere

Nur selten können Sie bei Anrufen im geschäftlichen Bereich damit rechnen, den gewünschten Entscheidungsträger gleich am Apparat zu haben. Ihnen werden „Gesprächshürden" in Form von Mitarbeitern oder Angehörigen begegnen. Da ist die „Zielperson" nicht im Haus, in einer Besprechung oder gerade sehr beschäftigt und Sie hören Fragen nach Ihrem Anliegen oder nach der Dringlichkeit des Anrufes. Diese Hürden müssen Sie überwinden, ohne dabei Schaden zu nehmen.

Keinesfalls sollten Sie den jetzigen Gesprächspartner übergehen oder die „Privatgespräch-Ausrede" verwenden. Auch wenn Ihnen so der Durchbruch gelänge, käme dies als Bumerang zu einem späteren Zeitpunkt auf Sie selbst zurück. Die freundliche und zuvorkommende Behandlung von Mitarbeitern hat schon vielen Verkäufern Tür und Tor geöffnet. In Kapitel 2.2.3.2 wurde das empfehlenswerte Vorgehen bereits beschrieben.

Werden Sie nicht nach Ihrem Anliegen gefragt und man teilt Ihnen mit, daß der Gesprächspartner zur Zeit leider nicht zu sprechen ist, empfiehlt es sich, die beste Anrufzeit zu erfragen:

„Frau Wiechmann, sind Sie so nett und sagen mir, wann ich Herrn Bernhard am besten erreiche."

„Frau Wiechmann, Sie können mir sicherlich behilflich sein. Wann ist die günstigste Anrufzeit, um Herrn Bernhard zu erreichen?"

Sollte sich so keine konkrete Anrufzeit erfragen lassen, so übergeben Sie die Gesprächsinitiative auf Ihren Telefonpartner.

„Frau Wiechmann, was meinen Sie, wie könnten wir am besten verfahren?"

„Frau Wiechmann, als persönliche Mitarbeiterin von Herrn Bernhard können Sie mir sicherlich einen Tip geben, wie ich ihn am besten erreiche?"

Werden Sie nach Ihrem Anliegen gefragt, so nennen Sie ohne Umschweife und Ausreden Ihren Anrufgrund.

„Vor einigen Tagen schrieb ich einen persönlichen Brief an Herrn Bernhard. Über diesen Brief möchte ich gern mit ihm sprechen."

Sollten Sie hartnäckiger über den Inhalt des Briefes gefragt werden, so müssen Sie die „Katze aus dem Sack" lassen.

„Ich hatte in dem Schreiben meinen Anruf angekündigt, da ich Herrn Bernhard gern ein Angebot unterbreiten möchte. Es geht um sein Geschäftsfahrzeug."

Haben Sie auch so kein Glück, so können Sie mit der Methode des „positiven Kompetenzdrucks" arbeiten:

„Frau Wiechmann, vielleicht kann ich auch mit Ihnen darüber sprechen. Es geht um das Geschäftsfahrzeug von Herr Bernhard. Sie entscheiden da sicher mit?"

Doch Vorsicht bei dieser Methode, die Formulierung darf keineswegs ironisch oder provozierend klingen.

Wenn Ihnen der Durchbruch auch hiermit nicht gelingt und Sie vielleicht gar ein *„Er möchte Sie nicht sprechen!"* erfahren, sollten Sie freundlich und elegant aus dem Gespräch „aussteigen".

„Danke für Ihr offenes Wort Frau Wiechmann. Was meinen Sie, hat es Zweck sich zu einem späteren Zeitpunkt nochmals zu melden, oder muß ich das als endgültige Absage ansehen?"

4.3.3.3 Der Gesprächsaufhänger

Die nächste Etappe in diesem Telefonat hat zum Ziel, das Interesse des Gesprächspartners zu wecken und Zugang zu ihm zu finden. Er soll neugierig werden auf das, was wir ihm „gesprächlich" zu bieten haben. Versetzen Sie sich einmal für einen Moment in die Situation des Angerufenen! Er wird mit einem Anruf konfrontiert, den er nicht erwartete; er muß jetzt Zeit für das Gespräch investieren und er „wittert" eine Verkaufssituation. Daraus ergibt sich die Anforderung an unseren Gesprächsaufhänger, daß er kurz, prägnant, verständlich und interessant sein muß. Jedes „um den Brei herumreden", jedes Verschleiern der Absichten und jede Fangfrage muß daher vermieden werden.

Es gibt in unserem Land eine Reihe von Branchen, die Telefonakquisition praktizieren und die zum Teil mit marktschreierischen Gesprächseinstiegen versuchen, Ihren Telefonpartner in Ihren Bann zu ziehen. Natürlich können Sie es versuchen und mal einen Unbekannten anrufen und ihm einfach mitteilen: *„Guten Tag Herr Müller, Ihr neues Auto ist da!"* Wenn der Angerufene sagt, daß er überhaupt keines bestellt hätte, dann können Sie das Gespräch mit den Worten fortsetzen *„Genau deshalb rufe ich Sie ja heute an. Sie haben die Gelegenheit, das nachzuholen."* Es mag Ihnen selbst überlassen sein, ob Sie derart wirklich weiterkommen, oder ob der andere verärgert auflegt. Übrigens kann man mit einer negativ ausgeführten Telefonaktion hervorragend seinen Namen negativ in der Öffentlichkeit darstellen.

Der einfachste Weg ist es, sich auf den Brief zu beziehen und dies als Aufhänger zu benutzen:

„Herr Bernhard, ich schrieb Ihnen vor einigen Tagen einen Brief und nehme an, daß Sie diesen erhalten haben."

„Herr Bernhard, ich möchte an mein Schreiben anknüpfen, das ich Ihnen vor einigen Tagen übersandte."

„Herr Bernhard, Sie erhielten von mir in den letzten Tagen ein persönliches Schreiben. Sicher erinnern Sie sich daran."

In der Regel werden Sie ein „Ja" oder irgendein anderes Zustimmungssignal erhalten.

Sollte der Angerufene mit einem „Nein, ich habe keinen Brief erhalten!" reagieren, so können Sie zunächst Ihr Erstaunen kundtun und gleich zum Angebot übergehen.

„Das verwundert mich ... In meinem Schreiben hatte ich Sie um einen Gesprächstermin gebeten."

„Ich bin erstaunt. Ich hatte Sie in meinem Brief, um einen Gesprächstermin gebeten und meinen Anruf angekündigt."

Auch wenn Ihr Gesprächspartner den Eingang Ihres Schreibens bestätigt, sollten Sie mit dem Satz „Ich hatte Sie in meinem Schreiben um einen Gesprächstermin gebeten." reagieren und bewußt eventuelle Widerstände des Gesprächspartners abwarten. In der Regel werden Sie jedoch ein „Worum geht es denn?" erhalten, welches Ihnen die Möglichkeit gibt, Ihr Angebot zu formulieren.

Übrigens: Hüten Sie sich beim Gesprächseinstieg vor Negativformulierungen! Mit „Mein Name sagt Ihnen vielleicht wenig!"-Bekundungen oder „Sie kennen mich sicher nicht!"-Feststellungen locken Sie niemanden hinter seinem „Desinteresse-Ofen" hervor. Diese Telefonpartner werden wahrscheinlich dann für Sie immer Unbekannte bleiben.

4.3.3.4 Das Angebot

Sie haben mit dem Gesprächseinstieg Ihr Terminanliegen mitgeteilt und hoffentlich Interesse für die Fortsetzung des Telefonats beim anderen geweckt. Nun geht es darum, das konkrete Angebot zu unterbreiten. Doch nochmals zur Erinnerung: das Angebot sollte ein Kennlerntermin mit Ihnen und einem bestimmten Fahrzeug aus Ihrer Modellpalette sein, nicht mehr und nicht weniger.

„Herr Heilmont, ich möchte Ihnen gern ein neues Fahrzeug aus unser Modellpalette vorstellen, den Malta B. Ich kann mir vorstellen, daß dieser Wagen genau Ihren Erwartungen an einen Geschäftswagen entspricht."

Natürlich sind auch andere Varianten möglich, z. B. die Vorstellung als Gebietsverkäufer:

„Herr Klassen, ich möchte mich Ihnen als zuständiger Gebietsverkäufer des Hauses ... vorstellen und würde Sie daher gern einmal besuchen."

Man kann auch ein konkretes Angebot unterbreiten:

„Herr Becher, ich möchte Ihnen gern ein Angebot über ein neues Geschäftsfahrzeug unterbreiten. Darf ich Sie fragen, welches Fahrzeug Sie bisher fahren?"

Im letzten Fall – sofern der Gesprächspartner darauf eingeht – ist es empfehlenswert, weitere Bedarfsfragen zu stellen, um so zu einem späteren Termin bereits ein konkretes Preisangebot unterbreiten zu können. Dies ist insbesondere im Nutzfahrzeugbereich sehr sinnvoll. Fragen Sie nach den Anforderungen und Erwartungen, den Einsatzbedingungen, dem Tauschrhythmus und den Jahreskilometerleistungen, gegebenenfalls nach der Größe des Fuhrparks und dem Zeitpunkt eines nächsten Bedarfs. Somit verfeinern Sie Ihr Bild vom Kunden

187

und von seiner Situation, so daß Sie sich für ein persönliches Gespräch entsprechend wappnen können. Sie können aber auch einen ganz allgemeinen Einstieg suchen oder „mit der Tür ins Haus fallen", z. B. mit der Einladung zu einer Probefahrt:

> *„Ich möchte Sie gerne für ... Fahrzeuge interessieren. Haben Sie dafür einige Minuten Zeit?"* Danach sollten Sie Ihre Bedarfsfragen stellen.

> *„Frau Becker, ich lade Sie herzlich zu einer Probefahrt mit dem neuen Filius ein. Ich bin sicher, daß Sie der Wagen interessieren wird."*

Nennen Sie gegebenenfalls Argumente, die für Ihr Produkt sprechen. Diese Argumente sollten zielgruppenspezifisch aufgebaut sein. Ein Handwerksmeister wird sicherlich mehr Wert auf Ladevolumen und Wirtschaftlichkeit legen, während der Direktor das Prestige und den Fahrkomfort zu schätzen weiß. Überlegen Sie also vorher, welche Argumente für Ihren Telefonpartner zugkräftig sein könnten. Doch beschränken Sie Ihre Argumentation bewußt auf maximal drei Aussagen, denn alles was darüber hinausgeht, gehört ins persönliche Verkaufsgespräch.

> Der Tip: Setzen Sie besser Erlebnisargumente anstatt Sachargumenten ein. Also nicht: „Dieses Großraumfahrzeug bietet Ihnen sieben Sitzplätze!", sondern „Selbst eine siebenköpfige Großfamilie findet in dem Wagen bequem Platz." Nicht: „Die Treibstoffkosten konnten bei diesem Modell um ein Drittel gesenkt werden." Sondern: „Wo Sie heute dreimal tanken werden Sie zukünftig mit diesem Fahrzeug nur noch zweimal dem Tankwart einen Besuch abstatten."

Wie auch in anderen Gesprächssituationen, so gilt auch hier, daß Ihnen Ihre Fantasie bei der Angebotsformulierung keine Grenzen setzen sollte. Probieren Sie neue Ideen aus!

4.3.3.5 Die Einwandbehandlung

Für Profis sind Einwände das Salz in der Suppe, es sind kleine Herausforderungen, die zum Überzeugen reizen. Gerade das Akquisitionstelefonat beinhaltet eine große Wahrscheinlichkeit, daß Einwände im Verlauf des Gespräches vorgebracht werden. Doch kein Grund zur Resignation oder Explosion. Neben den bereits dargestellten Schritten der Einwandbehandlung (siehe Kapitel 1.3.4) stellen wir Ihnen hier einige Antworten vor, die Sie bei häufig vorgebrachten Einwänden verwenden können.

A: „Ich habe kein Interesse!"

B: „Herr Jonatan, das kann ich sicher auf Anhieb auch gar nicht erwarten. Woher sollen Sie ein Interesse für ein Fahrzeug haben, das Sie vielleicht noch gar nicht kennen. Ich würde mich freuen ..."

A: „Ihr Angebot interessiert mich nicht."

B: „Herr Will, das verstehe ich, denn um Ihr Interesse richtig zu wecken, habe ich Ihnen noch viel zu wenig Informationen gegeben. Wenn Sie mir 15 Minuten Ihrer Zeit zu einem persönlichen Gespräch geben, bin ich sicher, daß Sie Interesse bekommen werden."

A: „Ich habe keine Zeit!"

B: „Wir brauchen nur wenige Minuten, danach entscheiden Sie selbst, ob Sie das Gespräch fortsetzen wollen oder nicht."

A: „Dafür hab' ich keine Zeit."

B: „Das verstehe ich. Wann darf ich Sie nochmals anrufen, um mit Ihnen über das Thema zu sprechen?"

A: „Ich habe keinen Bedarf!"

B: „Das kann ich auch gar nicht erwarten. Darf ich fragen, wann Sie an eine Neuanschaffung gedacht haben?"

A: „Ich will mir jetzt kein neues Auto kaufen."

B: „Ist es nicht sinnvoll, sich bei einer solch wichtigen Entscheidung frühzeitig alle wichtigen Informationen einzuholen?"

A: „Ich brauche kein neues Auto."

B. „Einen aktuelle Bedarf habe ich nicht vorausgesetzt. Lernen Sie mich und unsere Produkte jetzt in Ruhe kennen, so haben Sie später den Informationsvorteil. Was halten Sie davon?"

A: „Ich kenne Ihr Auto schon."

B: „Prima, dann kann ich mich ja fachmännisch mit Ihnen über das Fahrzeug unterhalten."

A: „Den Wagen kenne ich bereits."

B: „Was gefällt Ihnen an dem Fahrzeug am besten?"

A: „Bin mit meinem Fahrzeug zufrieden!"

B: „Es ist sicher für Sie sehr positiv, wenn all Ihre Erwartungen von Ihrem jetzigen Fahrzeug erfüllt werden. Welches Fahrzeug fahren Sie und worauf legen Sie besonderen Wert?"

A: „Ich bin aber mit meinem jetzigen Wagen voll zufrieden."

B: „Das freut mich. Ich denke, daß es dennoch keine vertane Zeit wäre, wenn Sie einmal unser Fahrzeug kennenlernen würden."

A: „Ich habe kein Geld!"

B: „Wäre es nicht sinnvoll, wenn ich Ihnen in einem Gespräch einmal die Wirtschaftlichkeit unserer Fahrzeuge erläutern würde? Weiterhin kann ich Ihnen ausgezeichnete Finanzierungs- und Leasingangebote machen."

A: „Sie wollen mir bloß was verkaufen!"

B: „Herr Kunde, es wäre die Unwahrheit, wenn ich das Gegenteil behauptete. Natürlich freue ich mich, wenn Sie beim nächsten Kauf unser Produkt wählen. Doch vorher möchte ich Ihnen gern das Fahrzeug vorstellen ..."

A: „Schicken Sie mir mal Prospekte!"

B: „Es freut mich, wenn Sie Interesse an meinem Angebot haben. Selbstverständlich stelle ich Ihnen gern Prospektmaterial zur Verfügung. Ich bringe Ihnen die Unterlagen gern vorbei. Paßt es Ihnen, wenn ich ... komme?"

Doch hier ist Behutsamkeit anzuraten. Der Angerufene darf sich nicht durch Ihr Überbringungsangebot bedrängt fühlen. Vereinbaren Sie ansonsten die Prospektübersendung und fragen Sie gleichzeitig nach einem neuen Telefontermin.

4.3.3.6   Vereinbarung und Verabschiedung

Denken Sie bitte immer daran: Sie wollen mit Ihrem Gesprächspartner einen qualifizierten Termin vereinbaren. „Brechstangentermine" sind nicht nützlich. Das Angebot hierzu haben Sie bereits formuliert, wobei hier immer das Besuchsangebot gemeint ist. Sie sollten zum Kunden gehen, nicht er zu Ihnen, außer er wünscht es ausdrücklich.

Bieten Sie Ihrem Kontaktpartner alternative Gesprächstermine an. Fragen Sie nie ob, sondern immer wann der Termin zustande kommen kann. So vermeiden Sie eine schnelle Abfuhr.

„Herr Jander, paßt es Ihnen am kommenden Donnerstag oder lieber am Montag nächster Woche?"

Eventuell ist es ratsam, die ungefähre Dauer des Gespräches anzugeben, damit Ihr Interessent die entsprechende Zeit einplanen kann. Untertreiben Sie dabei nicht mit Formulierungen, wie „einen Moment" oder „ein paar Minuten".

„Herr Jander, ich würde mich freuen, wenn Sie sich an diesem Termin dreißig Minuten für unser Gespräch reservieren würden."

Wählen Sie für die Präsentation einen günstigen Zeitpunkt. Dunkelheit oder die Verkehrsverhältnisse können Fahrvergnügen trüben.

Zum Abschluß empfiehlt es sich auch hier, den Termin nochmals zu wiederholen und einen positiven Ausblick auf das Gespräch zu geben.

„Herr Jander, ich freue mich, wenn wir uns am kommenden Donnerstag um 11.00 Uhr in Ihrem Büro sehen. Sie werden feststellen, daß es eine richtige Entscheidung für Sie war."

Steigen Sie bei einem positiven Gespräch nicht zu schnell aus. Ihr Interessent könnte den Eindruck gewinnen, daß Sie ihm jetzt, da Sie Ihr Ziel erreicht haben, keine besondere Aufmerksamkeit mehr schenken. Also ruhig und freundlich bleiben und behutsam das Telefonat zum Schluß führen.

Sollte eine Vereinbarung nicht zustande kommen, so reagieren Sie nicht beleidigt oder trotzig. Sie sind kein Missionar, der seinen Schäflein das Paradies predigt. Sollte also Ihr Gesprächspartner nicht zu einem Termin zu bewegen sein, so schließen Sie freundlich aber verbindlich das Gespräch ab.

„Herr Bernd, ich danke Ihnen für das Gespräch. Natürlich bedaure ich, daß ich Sie nicht überzeugen konnte. Dennoch würde ich Sie gern über aktuelle Angebote unseres Hauses regelmäßig informieren. Darf ich Sie in unsere Adreßkartei aufnehmen?"

4.3.4 „War's das?" – Nach dem Telefonat

Wir haben zu Beginn dieses Kapitels dargestellt, daß das Akquisitionstelefonat nur Teil eines gesamten Akquisitionskonzeptes ist. Dies bedeutet, daß jedes Telefonat – ob es zum Erfolg führte oder nicht – zunächst nachgearbeitet werden muß. Wir empfehlen Ihnen hierzu den Einsatz des auf Seite 192 dargestellten „Kontaktreportes".

AUTOHAUS
SORGENFREI GmbH
Platanenstraße 3 · 8000 München 80
Telefon 0 89/12 34 56

Wiedervorlage

Kontaktreport

zur Aktion ...

_____

Name und Funktion des Gesprächspartners   Datum

_____

Adresse und Telefon

_____

_____

1. Fahrzeugtyp ——————————————

2. Baujahr ————————————————

3. Jahres-km-Leistung ———————————

4. Anforderungen an das Fahrzeug —————

5. Erfahrungen mit jetzigem Fahrzeug ————

6. Tauschrhythmus/Neukauf geplant —————

7. Besuchstermin ———————————

8. Übersendung von Unterlagen —————

9. Sonstiges ————————————

Mittels dieses Formulars sollten Sie Ihr Telefonat nachträglich bearbeiten. Einerseits können Sie hierdurch einen vereinbarten Termin optimal vorbereiten, andererseits haben Sie die Möglichkeit – sofern zum jetzigen Zeitpunkt kein persönliches Gespräch verabredet wurde – die gewonnenen Informationen für ein späteres Telefongespräch sinnvoll zu nutzen. Ihr Gesprächsprotokoll bietet Ihnen eine wertvolle Erinnerungsstütze und ist Ausgangspunkt für spätere Gesprächsanknüpfungen. Bedenken Sie auch hier, daß es die langfristigen Erfolge sind, die eine Akquisition so reizvoll machen.

Der Tip: Bestätigen Sie einen vereinbarten Termin mit einem kurzen freundlichen Schreiben. Dies zeigt Ihrem Interessenten die Ernsthaftigkeit Ihrer Bemühungen und hält ihn bei der „Terminstange".

4.3.5   „Herr Mustermann telefoniert!" – Überarbeitetes Gesprächsbeispiel

Erinnern Sie sich noch an unser Eingangsbeispiel? Richtig, Herr Schneider wurde von dem redseligen Verkaufsberater Bernd Kerstens angerufen. Wir haben auch dieses Gespräch nochmals nach den dargestellten Erkenntnissen überarbeitet. Sehen Sie selbst!

A: *„Schneider und Söhne, Schmidt, guten Tag."*

B: *„Guten Tag, Frau Schmidt, meine Name ist Kerstens, Bernd Kerstens, vom Autohaus Boll. Bitte verbinden Sie mich doch mit Herrn Schneider senior."*

A: *„Worum geht es bitte?"*

B: *„Vor einigen Tagen schrieb ich einen persönlichen Brief an Herrn Schneider. Über den möchte ich gern mit ihm sprechen."*

A: *„Würden Sie das bitte etwas genauer beschreiben!"*

B: *„Aber gern. Ich hatte in dem Schreiben meinen Anruf angekündigt, da ich Herrn Schneider gern ein Angebot unterbreiten möchte. Es geht um sein Geschäftsfahrzeug."*

A: *„Kleinen Moment, ich verbinde Sie mit Herrn Schneider."*

C: *„Schneider."*

193

B: „Guten Tag, Herr Schneider, meine Name ist Kerstens, Bernd Kerstens, vom Autohaus Boll."

C: „Worum geht's Herr Kerstens?"

B: „Herr Schneider, Sie erhielten von mir in den letzten Tagen ein persönliches Schreiben. Sicher erinnern Sie sich daran!"

C: „Ja, aber viel stand da ja nun nicht gerade drin."

B: „Das ist richtig, Herr Schneider. Ich hatte Sie in meinem Schreiben um einen Gesprächstermin gebeten, um Ihnen ein Angebot bezüglich Ihres Geschäfts-wagens zu unterbreiten."

C: „Ach so, Sie wollen mir also ein Auto verkaufen."

B: „Ich würde lügen, wenn ich jetzt nein sagte. Natürlich würde ich mich freu-en, wenn es zu einer Geschäftsbeziehung zwischen uns käme, aber wenn Sie zunächst unseren neuen Alaska und mich als Ihren zuständigen Gebietsver-käufer kennenlernten, wäre das eine tolle Sache."

C: „Sehr freundlich von Ihnen, Herr Karsten, aber ich habe ein Auto und mit dem bin ich sehr zufrieden."

B: „Es ist sicher für Sie sehr positiv, wenn all Ihre Erwartungen von Ihrem jetzi-gen Fahrzeug erfüllt werden. Darf ich fragen, welches Fahrzeug Sie fah-ren?"

C: „Einen Melan Sechszylinder."

B: „Ein tolles Auto Herr Schneider. Dennoch bitte ich Sie, einmal einen Ver-gleich mit unserem Alaska vorzunehmen. Wenn Sie dann hinterher immer noch sagen, Ihr Melan sei das bessere Auto, dann akzeptiere ich das selbst-verständlich und Sie können noch sicherer in Ihrer einmal getroffenen Kauf-entscheidung sein. Vielleicht aber kann ich Ihr Interesse für unseren Alaska gewinnen. Was halten Sie davon, wenn ich Sie in den nächsten Tagen einmal besuche?"

C: „Herr Kerstens, ich glaub das wäre nicht sinnvoll, denn den jetzigen Wagen fahre ich erst elf Monate und ein Jahr bleibt der mindestens noch bei mir."

B: „Herr Schneider, ich hab' auch gar nicht erwartet, daß Sie sich nächste Woche einen neuen Wagen kaufen wollen. Wäre es nicht gut, wenn Sie sich rechtzeitig informierten? Als Geschäftsmann planen Sie doch sicher immer langfristig."

C: „Nun, Sie haben nicht unrecht. Also gut, schicken Sie mir mal Prospekte und ich melde mich dann bei Ihnen."

B: „Ich freue mich über Ihr Interesse, Herr Schneider. Ich würde Ihnen gern die Prospekte vorbeibringen. Paßt es Ihnen besser am Freitag oder am Dienstag der kommenden Woche?"

C: „Kompliment mein Lieber! Sie lassen sich nicht so schnell abwimmeln. Würde mir wünschen, wenn meine Verkäufer auch manchmal ein bißchen mehr Biß hätten. Also gut, kommen Sie am Freitag, so gegen 16.00 Uhr, da ist es hier schon etwas ruhiger."

B: „Prima, Herr Schneider, wenn Sie mir dreißig Minuten Ihrer kostbaren Zeit am Freitag reservierten, wäre das für Sie ganz sicher eine lohnende Zeitinvestition."

C: „Na gut, aber lassen Sie sich was einfallen."

B: „Abgemacht Herr Schneider, ich bin am Freitag den Sechzehnten um vier Uhr am Nachmittag bei Ihnen. Vielen Dank für das Gespräch."

C: „Nichts zu danken, bis Freitag, auf Wiederhören."

B: „Auf Wiederhören, Herr Schneider."

Telefonakquisition im Automobilverkauf bedeutet heute geplantes, organisiertes und professionelles Vorgehen. Der Weg zum Erfolg ist mit Mühen gepflastert! Aber es lohnt sich, ihn zu beschreiten. „Ruf doch mal an!"

5. Literaturverzeichnis

Wenn Sie noch mehr zum Thema „Telefon" lesen wollen:

Haucke, Manfred: Die 20 erfolgreichen Regeln für überzeugendes Sprechen und Verhandeln am Telefon, Kissing (Weka-Verlag) 1983

Leicher, Rolf: Wirksamer, überzeugender und billiger telefonieren, München (Wilhelm Heyne Verlag) 1982

Sieg, Christian: Phänomen Kunde, Ottobrunn (Autohaus Verlag) 1989

Stroebe, Gunram H.: Gekonnt telefonieren – Gewinner auf beiden Seiten, Sindelfingen (Expert Verlag) 1986

Wage, Jan L.: Telefonverkauf – schneller, mehr mit Gewinn, München (Verlag Moderne Industrie) 1970

Walther, George: Phone Power, Düsseldorf (Econ Verlag) 1989

Weber, Michael R.: Telefonmarketing, Düsseldorf (Econ Taschenbuch Verlag) 1986

Wolter, Friedrich-Holger: Durch Telefonverkauf zu höheren Umsätzen, München (Verlag Moderne Industrie) 1984

Marketing Report 26: Telefonverkauf richtig organisieren, München (Verlag Nobert Müller) 1985

6. Stichwortverzeichnis